**LAROIÊ, BARÁ MI! LAROIÊ, ELEGUÁ!
LOGUNÔ ! OU ORIKIS OLUÁ-Ô!
MOJUBÁ! MOFORIBALÉ!**

coleção orixás
LOGUNEDÉ

"SANTO MENINO QUE VELHO RESPEITA."

coleção orixás

LOGUNEDÉ

"SANTO MENINO QUE VELHO RESPEITA."

Nei Lopes

Ilustrado por
Luciana Justiniani

Rio de Janeiro
2ª edição, revista pelo autor
3ª reimpressão
2023

Copyright©2000
Nei Lopes

Produção editorial
Pallas Editora

Coordenação da coleção
Helena Theodoro

Revisão
Maria do Rosário Marinho
Heloisa Brown

Concepção gráfica de capa, miolo e ilustrações
Luciana Justiniani

Capa
Geraldo Garcez Condé

Todos os direitos reservados à Pallas Editora e
Distribuidora Ltda. É vedada a reprodução por
qualquer meio mecânico, eletrônico, xerográfico etc.,
sem a permissão por escrito da editora, de parte ou
totalidade do material escrito.

CIP-BRASIL. CATALOGAÇÃO-NA-FONTE.
SINDICATO NACIONAL DOS EDITORES DE LIVROS, RJ.

L854L Lopes, Nei, 1942-
2ª ed. Logunedé: "Santo menino que velho respeita" / Nei Lopes. –
2ª ed. – Rio de Janeiro: Pallas, 2002.

:il. – (Orixás; 1)
216p, ; 12x17 cm
Inclui glossário e bibliografia.
ISBN 978-85-347-0339-0

1. Logunedé (Orixá). 2. Orixás – Culto. I. Título. II. Série.

00-0715
CDD 299.63
CDD 299.6.2

Pallas Editora e Distribuidora Ltda.
Rua Frederico de Albuquerque, 56 – Higienópolis
CEP 21050-840 – Rio de Janeiro – RJ
Tel./fax: (021) 2270-0186
www.pallaseditora.com.br
pallas@pallaseditora.com.br

"Pra você ver a responsabilidade de ser filho desse orixá, eu só quero dizer uma frase, repetindo minha mãe Menininha. Ela dizia que Logunedé é santo menino que velho respeita".

(Augusto César Lacerda, babalorixá do
Ilê Omorodé Axé Orixá Nilá, em Salvador, Bahia).

Em memória de
Joquinha de Iroco e
Gilberto de Jesus (Popó),
mestres.

Que descansem em paz!

Aos amigos José Flávio
(que trouxe Inlê), Zero,
Rafael Zamora e
Wilfredo Nelson, que
trouxeram Cuba.

◆

Agradecimentos a
Rita Cajaíba
Dr. Dari José Paim Mota
Carlos Alberto Santiago e
Amir da Conceição Lopes,
pela colaboração.

SUMÁRIO

INTRODUÇÃO ♦ 17

NOTA PRÉVIA ♦ 23

1 **LOGUNEDÉ, O MAL-ENTENDIDO** ♦ 27

2 **LORUBÁS E IJEXÁS** ♦ 29

3 **O CULTO AOS ORIXÁS** ♦ 37

4 **OLOGUN E ODÉ** ♦ 41

5 **ODÉ, CAÇADOR, DESBRAVADOR** ♦ 49

6 **Ó ERINLÊ, O PAI** ♦ 51

7 **IEIÊ PANDÁ, A MÂE** ♦ 63

8 **SÍMBOLOS E ANIMAIS VOTIVOS** ♦ 73

9 **TRAJES E ADEREÇOS** ♦ 77

79	•	**ALIMENTOS** 10
81	•	**PLANTAS VOTIVAS** 11
103	•	**ASSENTAMENTO, INICIAÇÃO ETC** 12
107	•	**LOGUNEDÉ E A MÚSICA** 13
127	•	**CATOLIZAÇÕES** 14
137	•	**CORRESPONDÊNCIAS** 15
147	•	**PRINCIPAIS TERREIROS** 16
155	•	**MITOS** 17
177	•	**O FILHO DE LOGUNEDÉ** 18
185	•	**CONCLUSÃO** 19
189	•	**GLOSSÁRIO**
211	•	**BIBLIOGRAFIA**

Introdução

Reunir um grupo de estudiosos para escrever sobre os orixás, seu significado e sua importância na preservação da cultura e da identidade dos negros no Brasil é tarefa complexa, que se transforma num processo relativamente simples, quando se conta com a colaboração e o axé de Mestre Agenor, Mestre Didi, Mãe Stella de Oxóssi, Juana Elbein do Santos, Marco Aurélio Luz, Ildásio Tavares, Cléo Martins, Roberval Marinho, José Flávio Pessoa de Barros, Nei Lopes, Luís Filipe de Lima, Dalmir Francisco e muitos outros companheiros de fé e de luta.

A coleção Orixás, ao lidar com as dimensões do sagrado, do ritual e do lúdico dentro da tradição negro-africana, busca evidenciar como o mistério e o maravilhoso são aspectos da vida social que caracterizam as raízes profundas da existência coletiva, já que o imaginário faz parte das coisas do mundo, dando-lhes ordem e sentido.

A cultura negra no Brasil criou estratégias próprias de resistência para uma população que não tem outras armas a não ser sua crença na vida, no poder de existir, na energia de seus orixás, que lhe propicia axé — poder de realização —, fazendo com que encontre no lúdico uma maneira de enfrentar o trágico ou de cumprir o destino. Assim, o negro reza tocando, cantando, dançando, comendo, usando o imaginário para lidar com mitos e ritos que permitem a continuidade de existir da comunidade-terreiro, que funciona como limite entre a tradição cultural negra e a tradição cultural branca, estabelecendo, ao mesmo tempo, o intercâmbio entre o tempo e o espaço do terreiro e o da sociedade global. Tais limites caracterizam o poder de cada um desses contextos sociais.

Segundo os nagôs, Olórum é a força suprema, estando abaixo dessa força maior as

• LOGUNEDÉ •

forças da natureza — os orixás e os espíritos dos ancestrais — os *eguns*. As forças da natureza podem ser invocadas através de objetos (assentamentos) e de verdadeiros altares vivos (pessoas) que têm o privilégio de recebê-las em seu próprio corpo. Cada elemento que constitui o ser humano se deriva de uma entidade de origem (orixá) que lhe transmite suas propriedades materiais e seu significado simbólico, sendo fundamental venerar esta matéria de origem para que se possa prosperar e ter proteção no mundo.

Logunedé, "*santo menino que velho respeita*" é o trabalho desenvolvido por Nei Lopes, que mergulhou nos fundamentos da sua matéria de origem, buscando desvendar um pouco do "mistério" de um dos menos conhecidos orixás africanos no Brasil. Na década de 1970, deu suas primeiras obrigações para Logunedé, com o falecido Babalorixá Joquinha de Iroco, no Ilê Obatalá, em Anchieta, Rio de

• LOGUNEDÉ •

Janeiro. Em 1978 foi suspenso Ogã da casa, sem entretanto chegar a ser confirmado. Com a cessação das atividades do terreiro no final da década de 1980, passou a cuidar de seu Logunedé e de outros orixás recebidos, em sua própria residência, contando com a ajuda de amigos mais graduados e experientes nas "coisas de santo", tais como Mestre Didi, o Alapini, sacerdote supremo do culto aos antepassados no Brasil, José Flávio Pessoa de Barros, Rafael Zamora e Wilfredo Nelson, seu padrinho em Ifá.

Nei Lopes é compositor de música popular e pesquisador das culturas africanas, tendo nascido no subúrbio de Irajá, no Rio de Janeiro. Bacharel pela Faculdade Nacional de Direito da Universidade Federal do Rio de Janeiro, largou, na década de 1970, sua recém-iniciada carreira de advogado para dedicar-se à música e à literatura. Compositor profissional desde 1972, notabilizou-se por uma densa obra gravada por quase todos os grandes intérpretes do samba tradicional. Em 1989, recebeu do Governo do Estado do Rio de Janeiro o troféu Golfinho de Ouro (Música Popular), pelo conjunto de sua obra. Em 1998, por seu trabalho como intelectual e artista, foi agraciado com a Medalha Pedro Ernesto, conferida pela Câmara Municipal do Rio de Janeiro.

Nota Prévia

Em 1997, participando de reunião do Grupo de Trabalho Interministerial criado, entre outras coisas, para articular as pesquisas sobre a questão negra no Brasil, fazíamos uma recomendação, aceita e incluída no relatório final dos trabalhos, conclamando os pesquisadores que lidam com vocábulos oriundos das línguas africanas circulantes no Brasil a evitarem o preciosismo ou esnobismo de grafar esses vocábulos em seu estado original. Que se utilizem, nesses casos, as regras para grafia de palavras de origem de origem africana e indígena já estabelecidas por filólogos como Antenor Nascentes.

Dentro dessa orientação, procuramos, no presente corpo de texto, e até mesmo pelas dificuldades gráficas que a língua iorubá acrescenta aos padrões editoriais brasileiros, aportuguesar os vocábulos oriundos desse idioma, conservando, apenas em alguns casos já consagrados pelo uso e em nomes geográficos, o emprego de k, y, sh etc. e apresentando, ao final do volume, um glossário onde, aí sim, ditos vocábulos se apresentam em sua forma original ou com seus étimos iorubanos ou outros, quando for o caso.

Encaramos a adoção dessa prática — e esta era a justificativa que fazíamos na referida recomendação ao GTI — como um ato político, pois, quanto mais abrasileirarmos os vocábulos de etimologia africana que circulam no Brasil, mais estaremos tirando deles o rótulo de "exóticos" para incorporá-los oficial e definitivamente ao léxico brasileiro e afirmarmos, assim, cada vez mais, a africanidade da língua falada no Brasil.

O Autor

◆ **LOGUNEDÉ** ◆

1 | LOGUNEDÉ, O MAL-ENTENDIDO

Logunedé ou Logun-Edé é, certamente depois de Exu, o menos bem compreendido dentre os orixás africanos no Brasil. Tido como andrógino, patrono dos homossexuais, detentor de um "segredo" e de difícil feitura, é, antes de tudo um orixá muito pouco conhecido. Então, este texto tem por objetivo abrir um espaço à ajuda de seu entendimento. E, a partir do que disseram e escreveram os mais sábios e experientes; e por meio do conhecimento mais disseminado sobre

• **LOGUNEDÉ** •

---

seus orixás genitores, procurar desvendar um pouco do "mistério" de Logunedé, divindade iorubá, nascida no povo Ijexá.

2 | Iorubás e Ijexás

Os Iorubás, um dos povos mais importantes da África Ocidental, habitam o sudoeste da Nigéria e parte do leste do Benin, ex-Daomé, próximo à costa; e nas savanas no interior, numa vasta extensão de terras onde predominam florestas.

O etnônimo "iorubá" orginalmente designava apenas o povo de Oyó. Mas hoje ele nomeia vários subgrupos populacionais que, contados de oeste para leste, são os seguintes: Ana ou Ifé e Isha, na fronteira Togo-Benin; Idasha, em um enclave no

• LOGUNEDÉ •

Benin; Shabe, Ketu e Ifonyin ou Efã, ao longo da fronteira Benin-Nigéria; Awori, Egbado e Egba, na antiga província de Abeokuta, hoje estado de Ogun (Ogum) ; Ijebu, na província de Ijebu; Oyó, Ondo e Owo na província de Ibadan; Ifé e Ijesha (Ijexá) , no estado de Oshun (Oxum); Ilaje e Ekiti, no estado de Ondo; Igbomina em Ilorin, no atual estado de Kwara etc.

Migrando, em ondas sucessivas, na direção noroeste, os iorubás estabeleceram-se em seu sítio atual, entre os séculos VI e XI. Segundo algumas tradições, os ancestrais desses migrantes teriam vindo, antes, do Egito ou da Etiópia, daí a sofisticação da tradição religiosa iorubana, comparável, em muitos aspectos às de egípcios, gregos e romanos. E daí, também, a presença, em alguns de seus textos oraculares, de histórias semelhantes a relatos bíblicos e de referências ao contexto do islamismo.

Esses antigos iorubás viviam em cidades muradas, com amplas avenidas e tinham

• **LOGUNEDÉ** •

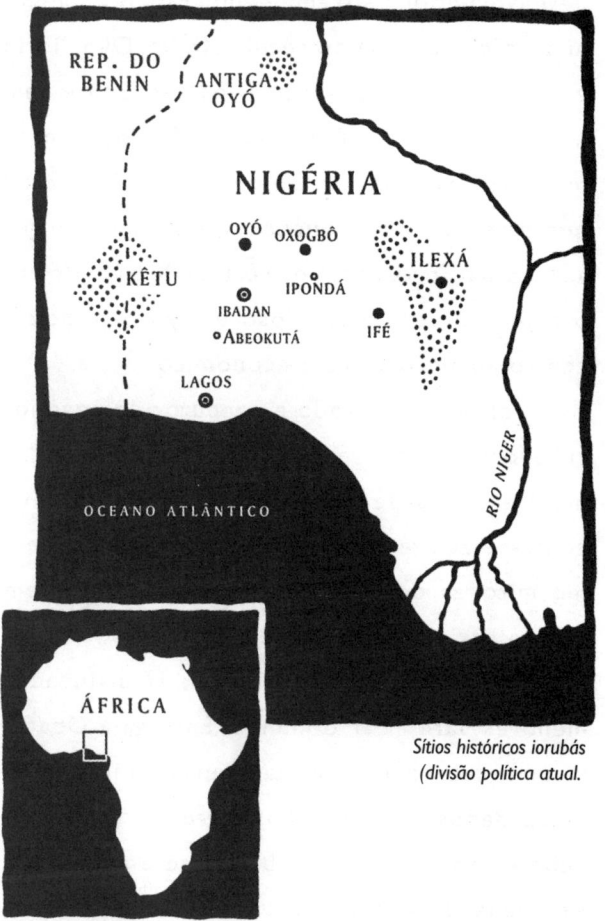

Sítios históricos iorubás (divisão política atual.

desenvolvido um sistema democrático de administração urbana já no século XI. Ifé, Oyó, Ilorin e Benin (localizada no atual estado Edo e sem ligação com a atual República do Benin) eram as principais cidades- estado de uma confederação que estendeu sua influência desde o rio Níger até o atual Togo, entre os séculos X e XI. Ifé era o principal centro religioso e Oyó o principal centro administrativo e econômico.

O grande antepassado e condutor do povo iorubano é Odudua, ele próprio filho de Olodumarê, a divindade suprema. E a origem do povo conta-se através de várias versões de um mesmo mito, as quais se referem a um tempo em que só havia água no universo.

Em uma delas, Olodumarê envia 16 divindades menores para criar o mundo. Entrega a Obatalá uma cabaça com areia e uma galinha com cinco dedos. No caminho, entretanto, Obatalá bebe vinho de palma, embriaga-se e adormece. Aproveitando-se disso, Odudua apossa-se de seus

• LOGUNEDÉ •

pertences, joga a areia na água e põe a galinha em cima. A ave, ciscando, espalha a areia e faz nascer a terra firme. Então, as outras divindades vêm se juntar a Odudua.

Obatalá, acordando da bebedeira, arrepende-se e recebe uma nova chance: Olodumarê lhe dá a tarefa de criar os seres humanos. Mas, aí, ele se embebeda novamente e começa a modelar anões, albinos, aleijados etc. Odudua novamente intervém, anulando os seres criados por Obatalá e fazendo nascer pessoas perfeitas, fortes e sadias. Estabelece-se, então, uma grande rivalidade entre Obatalá e Odudua. Mas este coroa-se rei de Ifé, a terra de origem do povo iorubá, e envia seus filhos para, também, como reis, criarem reinos em outras terras. Daí nascem os chamados "países iorubás", inclusive o "país Ijexá".

Outro mito, entretanto, refere-se à presença, na terra iorubá, antes da chegada de Odudua, de um caçador solitário, chamado Orê, sem mulher nem filhos.

• **LOGUNEDÉ** •

Um dia, depois da chegada do patriarca, Orê mata um dos filhos de Odudua. E chamado à presença do grande chefe, diz que assim procedeu por ciúme e por vingança, já que Odudua tinha mulher e muitos filhos e ele vivia completamente sozinho. Odudua, então, resolve dar a ele uma mulher, a qual, logo, logo, lhe dá filhos. E a família passa a constituir um outro ramo do povo iorubá.

Um dos filhos de Odudua era Obokun. Esquecido na partilha que o patriarca, já cego, fizera das principais terras iorubás entre os filhos, coube a ele o território de Ilesha (Ilexá), a nordeste de Ifé e a sudeste de Oyó, que assumiu com o título de Owá Ilexá, sendo, assim, considerado o ancestral do povo Ijexá.

Nessa região, onde correm os rios Oxum e Erinlê e onde se situa a localidade de Ipondá, nasceu a devoção a Logunedé, cujo culto, segundo Pierre Verger, encontrava-se em franca decadência nos anos de 1950.

Essa propalada decadência devia-se, talvez, às convulsões que sacudiram o território iorubá desde o século XVII, com as longas guerras que envolveram iorubás e daomeanos, entre 1698 e 1892, e os conflitos internos desenrolados de 1817 a 1893. Na seqüência dessas guerras, em 1760, o Owá Ilexá, tentando expandir seu território, funda cidades próximo a Oshogbo; em 1851, os Ijexás atacam Oshogbo e são derrotados pelo exército de Ibadan; em 1878, os Ilexá e outros grupos aliam-se aos Ekiti para lutar contra Oyó e Ibadan; e, finalmente, Oyó subjuga Ilexá. Como os orixás iorubanos são em geral objeto de cultos locais e como os vencedores quase sempre impuseram seus deuses aos vencidos, pode-se supor que comece aí a decadência apontada por Verger.

Na Nigéria moderna, Ilexá, cujo nome significa "terra dos orixás", localiza-se no estado de Oshun (Oxum), cuja capital é Oshogbo, pólo irradiador do culto àquela divindade e onde se ergue seu santuário, às margens do rio que leva seu nome. Nesse estado, localizam-se também a cidade sagrada de Ile Ifé e cachoeira Erin Ijesha, cujo nome evoca o orixá Erinlê ou Inlê, como veremos adiante.

3 | O CULTO AOS ORIXÁS

O nome "orixá" designa cada uma das divindades iorubanas, intermediárias entre a trindade criadora Olofim-Olodumarê-Olorum e os seres humanos. Considerados forças da natureza ou protetoras das atividades de manutenção da comunidade e algumas vezes representando ancestrais divinizados, cada qualidade ou manifestação de um orixá representa uma passagem de sua vida, real ou mítica, em que determinada característica se revelou; ou se associa a locais onde ele viveu ou por onde passou.

No Brasil, o culto aos orixás se processa em três níveis que se entrelaçam e completam: o culto aos orixás, propriamente dito, dirigido pela ialorixá ou pelo babalorixá; o culto às folhas e ervas rituais e medicinais, dirigido pelo babalossâim; e o culto a Ifá (o orixá da adivinhação, do futuro) dirigido pelo babalaô. No culto aos orixás, abaixo da ialorixá ou do babalorixá, a hierarquia compreende as sacerdotisas (ebâmes e iaôs), que são pessoas através das quais os orixás descem para serem homenageados pelos vivos; as pessoas em estágio de pré-iniciação (abians); os ogans e toda uma enorme variedade de gradações, de acordo com o cargo que desempenham na comunidade-terreiro.

Em Cuba, a palavra *regla* é popularmente empregada com o sentido de culto ou religião. Assim, os cultos de origem africana, largamente disseminados pelo país e genericamente referidos como *santería* (palavra de conotação tão imprecisa e derrogatória como a brasileira "macumba"), se dividem em *Regla de Ocha* e *Regla de Mayombe*, esta também referida como *Regla de Palo Monte* ou, ainda, *Regla de Palo*. A primeira tem procedência iorubana, corresponde ao culto brasileiro dos orixás e compreende também um ramo à parte, que é a *Regla de Ifá*, conduzida pelo *babaláo*, enquanto que o culto aos orixás propriamente dito é dirigido, como na África, por um *obá*, termo que designa o sacerdote de um orixá, especialmente encarregado de perpetuar seu culto.

No Rio de Janeiro antigo, o termo "orixá" designava o seguidor do culto aos orixás, em oposição aos alufás, seguidores do culto malê.

4 | OLOGUN E ODÉ

Logunedé é um orixá iorubano ligado aos elementos terra e água e cujo domínio são os rios, cachoeiras e matas. Seu culto irradiou-se a partir de Ilexá, portanto é uma divindade local do povo ijexá. Pouco conhecido em Cuba e, ao que consta, pouco cultuado, hoje, em sua terra de origem, no Brasil, entretanto, sua devoção vem ganhando, a cada dia, novos adeptos, provavelmente desde os anos de 1950, quando baianos emigrados para a periferia do Rio de

♦ **LOGUNEDÉ** ♦

Janeiro, principalmente para a Baixada Fluminense, fizeram a tradição dos orixás experimentar um vigoroso renascimento.

Filho de Inlê ou Ibualama e Oxum Pandá, Logunedé reúne as naturezas do pai e da mãe, sendo, segundo sua mitologia mais difundida, seis meses jovem caçador e, nos outros seis, bela ninfa dos bosques. Consoante outros mitos, sua natureza dupla não envolve divisão sexual, sendo sua particularidade, apenas, a de viver seis meses do ano em terra, comendo caça e, nos outros seis, sob as águas de um rio, comendo peixe. Alguns iorubanos referem-se a Logunedé ora como filho de Oxum, ora como seu mensageiro, pois há grande ligação entre ambos. Em alguns locais de culto africanos, ele é tido como complementação de Oxum, o que mostra a intensidade da relação entre ele e seu princípio genitor feminino. Tanto que lá se conhece uma qualidade de Oxum chamada *Osun Logun*.

Em seu livro "Águas do Rei" (Vozes/Koinonia, 1995), o antropólogo baiano Ordep Serra relata dois fatos interessantes a respeito do orixá. O primeiro é a afirmação de uma filha-de-santo segundo a qual Logunedé "é um caboclinho das águas doces". O segundo é o registro de que, em 1989, o conhecido cacique Raoni, indo a Salvador e visitando o terreiro da Casa Branca do Engenho Velho, o mais antigo do Brasil, no dia da festa de Oxóssi, a ialorixá Mãe Tatá destinou-lhe uma cadeira num posto de honra, junto à estátua de Logunedé.

Os dois fatos apontam, agora, para a proximidade de Logunedé também com seu princípio genitor masculino, já que Inlê é, aqui, considerado uma qualidade ou manifestação de Oxóssi e este é quase sempre visto, no Brasil, como um caboclo ou mesmo um valoroso chefe indígena, da estirpe de Raoni. Mas Inlê, como veremos mais tarde, nos parece ser muito mais que apenas um grande caçador ou um valoroso guerreiro.

• LOGUNEDÉ •

E assim como seu pai, Logunedé parece ser mais que um odé, mais que um caçador. E uma pesquisa etimológica de seu nome sugere algumas pistas interessantes, como agora veremos.

Olga Cacciatore, em seu pioneiro "Dicionário de Cultos Afro-Brasileiros", tenta a etimologia do nome em *logun* (proclamado) + *ode* (caçador) = o que foi proclamado caçador. Entretanto, Leo Frobenius, ao falar de Inlê ou Erinlê — na tradução francesa de "Atlantis" (v.bibliografia) está grafado *Enjille* — refere-se a uma cidade de "Logou" (Ilobu?) de onde Inlê veio, pelo rio.

Para nós, o mais provável é que a etimologia esteja no iorubá *olóògun*, mágico, ritualista que emprega drogas e poções mágicas (de *ògùn* = remédio, veneno, feitiço), o mesmo que *onisegun*, curandeiro. Então, o mais apropriado talvez fosse Ologun-Edé, o mago caçador; o caçador mágico.

Mas observe-se que o topônimo Edé é o nome de uma cidade da Nigéria, na antiga província de Ibadan, atual estado de Oyó, a sudoeste de

Oshogbo, onde os rios Oxum e Erinlê se encontram (cf. P. Verger). Tanto que em Cuba conhece-se uma *Ochún Edé*, elegante, grande senhora, que, segundo se diz, gosta de música e festas, mas é "ajuizada e boa dona de casa". Então, uma outra possibilidade para a tradução do nome é "o feiticeiro de Edé" (*Olóògùn Ede*).

Esta possibilidade remete à associação que os cubanos fazem com Tobias, personagem bíblico que dá título a um dos livros do Velho Testamento e que, ajudado pelo arcanjo Rafael (também uma das catolizações de Logunedé) consegue, através de uma mágica com um peixe (um dos símbolo de Logun) curar o pai cego, como leremos em outra parte deste livro.

Vejamos ainda que Logunedé carrega, entre outros, o epíteto de "príncipe de Efã".

Efã é uma das nações do candomblé baiano e seu nome, abrasileiramento de *Èfòn*, refere-se a um dos reinos do povo Ekiti, subdivisão dos Iorubás, sediado na localidade de Ekiti Efon, também ligada ao culto de Oxum. Nessa localidade, diga-se, por curiosidade, que um dos mais celebrados mestres ferreiros do final do século XIX atendia pelo nome de Odeleogun.

A título de ilustração, reitere-se que o nome Efã, no Brasil, além de ser a designação de um grupo étnico aqui escravizado, o é, por extensão, de uma nação do candomblé e do maracatu. Os africanos dessa procedência foram conhecidos, no Brasil, como "caras queimadas", porque os ilás (marcas étnicas) em seus rostos são até hoje feitos com riscos horizontais tão próximos que dão a impressão de uma mancha preta em cada face.

Por fim, lembremos que Logunedé é sempre referido como um orixá "metametá".

O termo, com que se desigam orixás de natureza dupla, como Logunedé, tem sido mal traduzido e mal interpretado, recebendo popularmente, inclusive, um sentido depreciativo e desabonador. Em iorubá, *méta* significa "três". E *métaméta* traduz-se como "três ao mesmo

◆ LOGUNEDÉ ◆

tempo". Então, Logunedé é um orixá metametá porque congrega em si três naturezas: a da mãe, Oxum; a do pai, Inlê; e a sua própria.

Além disso, é uma divindade que domina o poder de mutação e pode transformar-se no que quiser. Tanto que um de seus oriquís diz:

Ológun fihòn awo
funfun lóni ni òla
ó yióò fihón dúdú...

Significando, aproximadamente, algo como: "O feiticeiro mostra a pele que desejar: se mostrar pele clara hoje, amanhã mostrará pele escura", este texto é uma das chaves do mistério dessa divindade tão complexa quanto fascinante.

5 | ODÉ, CAÇADOR, DESBRAVADOR

Odé é o nome genérico pelo qual se conhecem os orixás caçadores e, especificamente, uma manifestação ou qualidade de Oxóssi.

A importância do caçador, em sociedades tradicionais como a dos povos iorubás, deve-se, primeiro, a uma razão de ordem econômica, já que o caçador é o provedor da alimentação do grupo. A segunda razão dessa importância é de ordem médica e mágica, já que o caçador, vivendo no mato, é necessária e naturalmente um conhecedor das plantas que curam e matam — e, aí, a ligação entre, por exemplo, Oxóssi e Ossãim. Finalmente, o caçador é importante, em termos sociais, porque, desbravador por definição, é ele que, indo na frente, descobre o lugar ideal para instalação da aldeia onde seu povo vai habitar. E, caminhando na frente, ele é, inevitavelmente, também um guerreiro, daí a associação estreita do odé, em todas as suas qualidades, com Ogum, ligação que se reflete até nos objetos simbólicos: o ofá ou damatá de Oxóssi sustenta sempre as sete ou vinte e uma ferramentas do orixá do ferro e da guerra; e o alabedé, ferramenta tradicional de Ogum, é sempre encimado por um ofá.

6 | ERINLÊ, O PAI

Segundo uma lenda corrente em Ibadan, Erinlê (cujo nome depois contraiu-se para "Inlê") era um fabricante de armadilhas de caça, morador de uma choupana, sob uma grande árvore, às margens de um rio próximo a Ilobu. Muito pobre, matava macacos para comer e um dia afogou-se no rio que, depois, recebeu seu nome. Isto porque, ao morrer, ele se tornou um orixá que vive nas profundezas do rio. Em outros relatos míticos, o caçador Erinlê ou Inlê foi morar no ifundo do rio, que depois recebeu seu nome, atraído pela sedução de Oxum.

Inlê tem, em Ilobu, onde se localiza seu templo principal, um grande número de adeptos. Esses fiéis usam, como distintivos, braceletes de ferro e apetrechos de caça. E alguns dos rituais de seu culto, realizados no rio que lhe tomou o nome, são, conforme vários relatos, muito bonitos de se ver.

É comum as mulheres estéreis irem até a margem do rio e jogarem, nele, obis abertos, pedindo filhos, saúde e tudo o mais. E, aí, o culto do orixá e do rio se confundem.

O grande tabu dos adeptos do orixá é o elefante (*erin*), pois Erinlê, além de ter sido um caçador desses animais que, em várias oportunidades, viera ajudar o povo de Ilobu a combater seus adversários, ele próprio é também considerado um elefante.

Observe-se, a propósito, que em algumas sociedades africanas a atividade da caça é cercada de rigorosas prescrições rituais, principalmente quando o objeto dela é um búfalo ou um elefante, animais totêmicos. Muitos clãs reivindicam um elefante como origem de sua descendência e em muitas culturas um desses animais é considerado a reencarnação de um chefe falecido.

Algumas referências míticas a Inlê o aproximam, também, de Aguê, vodum cultuado no Togo e no Benin, gênio da floresta e detentor de grandes segredos da arte e da técnica. É descrito como um homenzinho negro, já idoso, de cabelos encarapinhados e crescidos, que atormenta os caçadores soltando a caça de suas armadilhas e fazendo-os perderem-se na floresta para lhe renderem culto. Dizem que ele emite um assobio igual ao de Mami Watta (*Mammy Water*, mãe d'água), nome anglicizado de um vodum feminino das águas, da riqueza, da fertilidade e do amor, certamente uma Oxum togolesa.

Alguns nomes dados, na Nigéria, a crianças nascidas sob inspiração e proteção de Inlê são os seguintes: Omí-tóògun (masc.) = "guerreiro da água"; Omí-yalé (fem.) = "a água desviou de casa"; Omí-síinon (masc.) = "a chuva bloqueou a estrada"; Omí-dèyii = "filho da água".

As oferendas a Inlê são, de preferência, galo, bode, carneiro (sempre animais do sexo masculino), além de obi e aguardente, sendo proibidos a carne de cavalo e o vinho de palma. E os objetos que o representam são duas pedras de rio, polidas, colocados numa cabaça, além de um símbolo de ferro forjado, com 15 a 50 cm de altura, no qual se vê um pássaro fixo sobre uma haste central, circundado por dezesseis outras hastes em cada uma das quais se encima, também, um pássaro menor. Algumas interpretações da simbologia desse objeto dizem que o pássaro é a cabeça do indivíduo e o cetro, então, representaria o triunfo da mente sobre o círculo da aniquilação, da doença e da destruição.

Esse objeto-símbolo é ele próprio denominado "erinlé" ou "inlé" e o nome se estendeu, entre

• **LOGUNEDÉ** •

Ferramentas de Inlê.

• LOGUNEDÉ •

os iorubás, segundo Leo Frobenius, a outros objetos semelhantes utilizados em cultos de outros orixás. E, por isso, conforme acentua o africanista alemão, o culto de Inlê ou Erinlê tornou-se conhecido, também, em outras localidades do território iorubá. Mas é, realmente, a localidade de Ilobu, o centro do culto de Erinlê, o orixá caçador. Lá, numa "linguagem estranha", anotada por Philippe Aziz ("Os Impérios Negros da Idade Média", Otto Pierre Ed., 1978), o sacerdote exalta a força, o espírito guerreiro de Erinlê, conta sua vida rude na floresta e evoca seus dons de feiticeiro e curador, em oriquis como este:

"Ele é firme e forte como uma rocha antiga. Ele é claro como o olho de Deus que não deixa erva alguma brotar. Como a terra, ele jamais mudará. Do fundo do rio, ele nos chama à guerra. Nos espinhos do mato e na mais profunda floresta ele encontra alimentos. Ele trilha perigosos caminhos mas seu pé não hesita. Ele é capaz de destruir,

como os vermes no estômago. Ele cura a cabeça confusa. Ele mistura as cabeças das outras aves com as dos avestruzes. O antílope não pode mexer. A vaca do prado fica fascinada. Ele não se dá bem com o leopardo, salvo quando se trata de sua orelha malhada. "

Inlê é referido muitas vezes, também, como uma divindade da música e de outras artes. E é isso que parece informar o iorubano Oladipo Yemitan, no livro "*Ijala: Are Ode*", citado por R.F. Thompson, quando diz que "Odé protege não só o bravo, mas também aqueles que sabem esculpir em madeira ou compor uma canção".

No Brasil, onde seu culto autônomo está praticamente extinto, Inlê é conhecido também por Ibualama. E o nome se origina, consoante Pierre Verger, no iorubá *ibualámo*, nome de um dos lugares mais profundos (*ibú*) do rio Erinlê.

Em nosso país, esse orixá é visto como um tipo de Oxóssi que usa vestes e chapéu de couro, além de um chicote, com o qual se autofustiga (o que,

• LOGUNEDÉ •

talvez, remeta a um movimento habitual dos elefantes, que é o de bater a tromba no dorso). E, em termos de alimento, come qualquer caça.

Consoante a tradição afro-brasileira, existem quatro qualidades de odés, orixás caçadores, que são Oxóssi, Otim, Ibualama e o Odé propriamente dito. Entretanto, a não ser na atividade principal da qual são patronos, esses caçadores apre-sentam características que, por vezes, os distan-ciam bastante. Exemplificando, diremos, como já tivemos oportunidade de ver, que Inlêé um orixá das águas, como Oxum. E Odé, que muitas vezes é também referido como o pai de Logunedé, tem gostos e predileções diversas das de Oxóssi. J.J. Pompeu Campos, o Joquinha de Iroco (1941- 1996), babalorixá e amigo de saudosa memória, também considerava, como a maioria dos mais- velhos baianos, que Logunedé é resultado do casamento de Oxum e Oxóssi. Mas chamava a atenção para diferenças sutis: segundo ele, Odé come porco e Oxóssi, não; no ofá de Oxóssi, a ponta da flecha termina antes de atingir o arco e no de Odé ela o ultrapassa. Além disso — lembrava Joquinha — as contas azuis de Oxóssi são de louça, enquanto que as Odé são translúcidas, do tipo cristal.

Segundo outras versões, Inlê seria uma manifestação infantil de Oxóssi, um odé criança (o que o aproxima ainda mais do fundamento de Logunedé), distinto de Ibualama, este sendo visto como um Oxóssi que se veste de palha da costa, não costuma aceitar azeite-de-dendê e gosta de adereços e utensílios de prata pura (cf. Fernandes Portugal).

Veja-se, ainda, que o batuque gaúcho conhece uma qualidade de Odé referida como Odé-Egi-Gam-Logum, tido como um caçador jovem, alegre e arteiro, poeta e grande cantor. E que, em Recife, Odé — o orixá-caçador dos xangós pernambucanos — é tido como "alegre, jovial, expansivo e irrequieto, arquétipo do *puer aeternus* [criança grande]" (cf. José Jorge de

Carvalho, "Cantos Sagrados do Xangô do Recife", Fundação Palmares, 1993).

Em Cuba, onde seu culto ainda é vivo e seu nome é paroxítono, Inlê é tido como médico, caçador, pescador, andrógino e muito bonito, tanto que, segundo uma lenda corrente, Iemanjá o raptou e levou para o fundo do mar. Entre os cubanos, ele, médico do mato e curandeiro experiente, é visto também como a própria terra (talvez por confusão com "ilê"), podendo ser camponês ou pescador e tendo o coral e o azeviche como suas pedras prediletas.

Seu culto, entre os *lucumíes* cubanos, realiza-se às margens de diversos lugares profundos de rios. Cada um desses lugares recebe um nome, mas é sempre Inlê que é adorado sob todos esses nomes. Nesse locais, ele recebe oferendas de acarajés, inhames, bananas, milho, feijão assado, tudo regado com azeite-de-dendê.

Ainda segundo a tradição afro-cubana, Inlê bebe vinho doce, do tipo moscatel, e come pudim em calda, peixe (pargo, cozido e passado no fubá), alface, batata-doce, laranja-da-china, inhame, acaçá, goiaba e óleo de amêndoa. Os animais de seu sacrifício são carneiro, galo, pombas (todos brancos) e galinha d'angola.

Nas danças em sua homenagem, os fiéis dançam meio agachados, em roda, e mexem a mão direita de um lado e de outro, como se estivessem afastando os galhos do mato. E, embora sua personificação seja um elefante, em alguns dos cânticos em seu louvor vê-se que é tido também como uma divindade das crianças, pois é saudado, segundo N. Arósteguy, como *korikoto*, uma entidade infantil; *ore ewe okún*, amigo das crianças fortes etc. E isto porque Inlê e Oxum são *orisà olómo*, isto é, divindades que abençoam proporcionando filhos.

7 | Ieiê Pandá, a mãe

Na tradição cultural negro-africana, como aliás ocorre em diversas outras culturas, a água se reveste sempre de um caráter sagrado, sendo associada à criação da vida. Por isso, é elemento utilizado em inúmeros ritos, principalmente de limpeza e purificação.

Mas a água, para ser sagrada, tem de vir diretamente da natureza — no caso da água doce, de um manancial, de uma fonte, de um rio, de um lago. E nunca deve ser fervida, pois a ebulição destrói as emanações das forças que moram na água, das divindades aquáticas, como Logunedé, Inlê e principalmente Oxum.

Orixá nagô das águas doces, da riqueza, da beleza e do amor, Oxum é o gênio tutelar do rio Oshun, que nasce em Ekití, no leste da Nigéria, e passa pela cidade de Oshogbo, onde se localiza o primeiro santuário desse importante orixá. Morando em diversos lugares profundos (ibú) do seu rio específico e sendo adorada sob diversos nomes e características, ela é a rainha de todos os rios e exerce seu poder sobre toda a água doce, sem a qual a vida na terra seria impossível.

Divindade fluvial por excelência, seus otás são seixos rolados, tirados dos rios, lagos e mananciais, os quais, juntamente com idés (na Africa, pequenas barras) de metal amarelo, mais dezesseis búzios — que são usados na adivinhação — vão compor seu assentamento. Nesse assentamento, a água, que os fiéis podem e devem beber, é fundamental.

• **LOGUNEDÉ** •

Dona do ouro, e de todas as ligas metálicas douradas, como o latão e o cobre — o metal mais precioso do país iorubá nos tempos antigos — seus filhos usam braceletes refulgentes como insígnia e dançam segurando um leque ou uma espada feitos principalmente de cobre amarelo fundido.

Oxum é, pois, a Vénus dos iorubás, famosa por sua beleza e por seu grande cuidado com a aparência. Alta, de seios belíssimos, é descrita como divindade que gosta muito de se banhar, que está sempre se mirando num espelho e que usa braceletes de latão do pulso até o cotovelo. Segundo um mito, seus cabelos eram longos até que Iemanjá roubou-os enquanto Oxum estava ocupada com suas tintas de índigo (que os africanos usam para tingir roupas). Oxum consultou seus dezesseis búzios e ficou sabendo que a ladra de seus cabelos era Iemanjá, mas não teve condição de recuperá-los. Então, juntou óleo, panos e tintura de índigo ao pouco cabelo

• LOGUNEDÉ •

que lhe restara e fez um coque, que é exatamente o arranjo de cabelo que suas sacerdotisas até hoje usam em Oshogbo e que é penteado recorrente entre as "mulatas faceiras" em Cuba e no Brasil.

No candomblé baiano, Oxum é cultuada sob as seguintes denominações ou qualidades: Oxum-Pandá (mãe de Logunedé, originária da localidade de Iponda, daí seu nome), Iabá-Omi, Oxum-Abaé, Oxum-Abotô, Oxum-Apará (a mais jovem de todas), Oxum-Ioni, Oxum-Abalô (a mais velha), Oxum-Timi, Oxum-Akidã, Oxum-Ninsim, Oxum-Lobá.

Divindade cultuada em toda a Diáspora, no Haiti é conhecida como Mademoiselle Anaisé; na República Dominicana como Anaísa, Anaísa Pié e Anaísa Pié Dantó. E em Trinidad-Tobago seus equivalentes seriam as entidades conhecidas como Girebete e Demorlé.

Oxum controla a fecundidade. E esse aspecto de seu poder, conta-se, segundo a tradição, assim:

♦ **LOGUNEDÉ** ♦

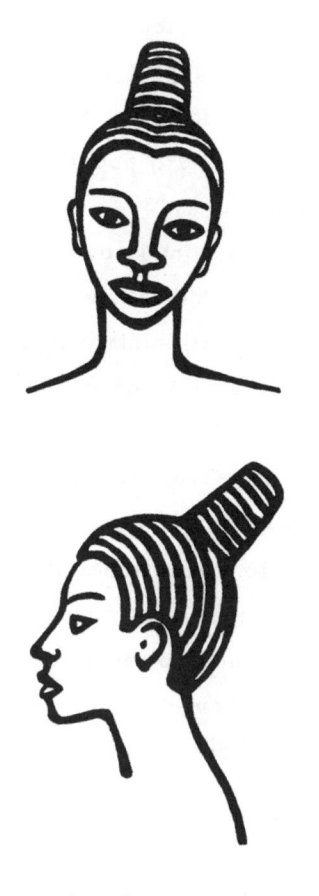

Coque usado por Oxum e seuas filhas-de-santo.

♦ **LOGUNEDÉ** ♦

Logo após terem criado o mundo, os orixás desceram até a terra para tomar as primeiras providências de organização. Mas só vieram os orixás masculinos, pois o poder de decisão era vedado às mulheres.

Oxum irritou-se com isso e fez um feitiço tornando todas as mulheres estéreis e condenando ao fracasso todas as iniciativas dos homens. Perturbados, os orixás foram consultar Olodumarê que, ao saber do que havia ocorrido, alertou-os de que Oxum representava o poder da fecundidade, sem o qual nada se realiza. Os orixás, então, reconsideraram sua atitude, convidando Oxum para participar de seu conciliábulo. Assim, tudo voltou ao normal, com as iniciativas sendo bem sucedidas e as mulheres voltando a ter filhos.

Dama da mais alta hierarquia, é chamada Ialodê, título conferido, entre os iorubás, à mulher mais importante de cada cidade. Além disso, é considerada a primeira ialorixá, pois foi ela quem criou a galinha d'angola, uma ave que, por ter o corpo pintado e ostentar um oxu na cabeça é tida como "feita", iniciada.

Dentre as diversas qualidades de Oxum conhecidas, Ieiê Pandá é a valente e destemida guerreira. Mas nem por isso deixa de ser bonita e faceira, já que o termo *yèyè*, presente em seu cognome e também em sua saudação (*ore yèy'o!*) traduz-se literalmente como "graciosa mãe".

Para os Binis — uma das ramificações do povo Edo, vizinho a sudeste dos Iorubás — Oxum é divindade da medicina, da cura. E esse é um aspecto de sua natureza que a aproxima, mais ainda, de Inlê e de Logunedé.

Muito mais que curadora, entretanto, Oxum é, por excelência, a dona do poder genitor feminino. É a madrinha da procriação e da gestação, que toma sob sua proteção todos os seres humanos desde a concepção até que comecem a falar e a adquirir conhecimento. É ela que faz com que as crianças permaneçam no ventre de suas mães, evitando abortos e complicações durante a gravidez, aspecto que é igualmente visto em Inlê, segundo partes de seus oriquis citados.

Oxum é, ainda, da mesma forma que Iemanjá, uma divindade tutelar dos peixes, que são considerados seus filhos, e sendo ela própria considerada um deles. No país iorubá, suas festas são realizadas em cursos d'água, para garantir boa pesca (cf. J. Elbein dos Santos). E este é outro aspecto que a aproxima de Inlê, orixá com quem gerou seu filho e mensageiro Logunedé.

Para realçar a circunstância de que Inlê e Oxum são — repetimos — *orìsà olómo*, divindades que abençoam propiciando descendentes, e que Logunedé é o protótipo do orixá-filho, observemos, finalmente, além das referências anteriores à jovialidade de Odé nos xangós pernambucanos e nos batuques gaúchos: que Inlê em Cuba é, também, como vimos, uma divindade das crianças (*korikoto*); que segundo um informante de Roger Bastide, somente os filhos de Inlê podem ser iniciados quando ainda na fase de aleitamento, sendo que, neste caso, a mãe assiste a todo o ritual, talvez mesmo substituindo a criança em parte das cerimônias; e que em Santa Clara, localidade cubana, ele é celebrado a 24 de junho, dia de São João e é visto como um adolescente, quase um menino, que gosta de brinquedos e é tão travesso que o embriagam na noite de 23 para que durma e não faça travessuras durante sua festa.

8 | SÍMBOLOS E ANIMAIS VOTIVOS

As insígnias e ferramentas que simbolizam Logunedé são, principalmente o ofá, conjunto de arco e flecha, em metal amarelo, com utensílios de caça e pesca pendurados, e o iruquerê. Sua representação simbólica dá-se, também, através de um cavalo-marinho ou de um peixe.

Mas o cavalo-marinho ou hipocampo é que é, além de seu principal animal votivo, o símbolo por excelência de Logunedé. E o livro "Nossos Peixes Marinhos" (Ed. Itatiaia, 1982) do zoólogo Eurico

Santos, traz preciosas e surpreendentes informações para a compreensão dessa simbologia:

"Trata-se — diz o livro — de um animal que não possui o menor aspecto estrutural de peixe, a começar pela posição vertical, de cabeça erguida, como nós outros, quando não devemos nada a ninguém".

"No cavalo-marinho — prossegue adiante — a cauda, que constitui quase metade do corpo, tem uma importância primordial na vida desta espécie. Quando deseja manter-se no fundo do mar, se aí não existe vegetação, pedra ou qualquer saliência em que a possa enroscar, ele a estende para trás e dobra-a, enterrando-a na areia e assim aí se fixa como que ancorado (...). É ainda com essa cauda que se fixa aos tufos de algas e outras plantas aquáticas, em cujo meio vive, não pastando mas caçando pequenos crustáceos de que se alimenta.

"As funções de gestação — escreve o cientista, acrescentando, sem o saber, mais um dado

• LOGUNEDÉ •

intrigante ao mistério de Logunedé — pela sua natureza, compete sempre à fêmea, mas é o macho do cavalo-marinho que recebe em seu próprio corpo os óvulos, processa-lhes a gestação, engravidando e dando à luz como qualquer criatura feminina".

O acasalamento dos hipocampos — "criaturas de temperamento amável, gentis e sociais" — é descrito por Eurico Santos como um belo e demorado "baile nupcial", ao fim do qual "o pai, com os ovos que a esposa lhe confiou, vai promover a tarefa feminina de gestá-los".

Outros animais votivos de Logunedé são o pavão e o camaleão, e as associações se devem àquele por suas decantadas beleza e vaidade; e a este por sua capacidade de mudar a cor da pele, aproximando-a do colorido do ambiente, em referência à mutação do orixá.

Os iorubás de Ijebu e adjacências cultuam um orixá chamado Ágemon, cujo nome se traduz, extamente, por "camaleão". Trata-se de um dos orixás que ficaram ao lado de Odudua e contra Obatalá, quando do episódio mitológico da criação do mundo. Seu culto, até algum tempo atrás, era absolutamente secreto e completamente vedado às mulheres.

Observe-se, entretanto que, no Brasil, o nome "camaleão" é dado a uma espécie de répteis da família dos Iguanídeos, bastante diferentes dos camaleões africanos, da família dos Cameleontídeos.

9 | Trajes e adereços

Logunedé usa damatá e abebé de latão e, às vezes, leva um barco em uma das mãos, em alusão à sua condição de protetor dos navegantes. Veste axó (saiote) amarelo e um pano (ojá) azul-turquesa amarrado ao ombro, cruzado com outro branco. Carrega couraça, capanga, polvari de latão e um berrante, espécie de trombeta feita de chifre de boi a tiracolo. Na cabeça, usa capacete dourado com plumas azuis, amarelas e brancas. Seus colares são de miçangas leitosas, nas cores azul (do pai) e amarelo ouro (da mãe) alternadamente. E usa também, como Ibualama — este, aliás, o único orixá caçador a vestir-se inteiramente de couro — braceletes com correntinhas de metal.

Observe-se que em algumas tradições oeste-africanas, o amarelo é tido como cor da luz, da riqueza e da distinção — porque os chefes tradicionais costumam cobrir-se de ouro ou de latão, metal também precioso entre os iorubás, como já vimos, já o azul é associado a mistério, prudência, respeito às tradições e aos mais velhos. E o verde — que ilumina o azul turquesa de Logunedé — é associado a alegria, abundância e juventude (cf. De La Torre).

Na África, diz-se que Logunedé tem aversão por roupas vermelhas ou marrons, nenhum dos seus adeptos ousando utilizar essas cores no seu vestuário.

10 | ALIMENTOS

Os alimentos de preferência de Logunedé são, no rol das comidas secas, axoxó (milho cozido com fatias de coco), mulucum (pasta de feijão fradinho com ovos), inhame, milho branco etc., sempre regados com mel, que por ser doce e produzir calma, é o símbolo alimentar por excelência de Oxum. Na cerimônia do ossé anual, come também comidas com dendê.

Nos sacrifícios rotineiros, Logunedé come, principalmente odá, bode castrado. No ossé

◆ LOGUNEDÉ ◆

anual, come tatu, galo e galinha d'angola. Ovos, bolos, biscoitos, doces em calda, mel, suspiro, ovos nevados, mingau de farinha, passas, amêndoas, açúcar com canela, pipocas doces etc. são também oferendas alimentares do gosto de Logunedé.

Quanto a frutas, segundo algumas tradições, a predileta do orixá é o melão, sendo também de seu agrado frutas de Oxum e Oxóssi, como laranja, coco, ameixa amarela, manga, banana-maçã, mamão etc.

11 | Plantas votivas

A tradição religiosa da Diáspora africana consagra as árvores como marcos da vida temporal e registros da permanência dos deuses entre os humanos. Daí, o uso ritual e medicinal das plantas. Assim, folhas, caules, raízes e frutos são largamente utilizados, tanto em banhos e defumações quanto em decocções etc. Segundo a tradição iorubá, "sem folha não existe orixá" (*ko si ewe ko si o risa*), recebendo, então, Ossãim, o nume tutelar desse domínio da natureza, um culto especial dirigido pelo babalossãim. Entretanto, embora Ossãim seja o dono de todo o reino vegetal, cada orixá tem suas plantas votivas, umas "quentes", excitantes, detonadoras de seu axé, outras "frias", calmantes. E da perfeita combinação entre elas, entre outros fatores ritualísticos, é que surgirá o efeito desejado.

Para o ritual principal de iniciação, por exemplo, são necessárias 21 espécies de ervas (as chamadas "folhas fixas": alfavaca, alecrim, aroeira, guiné, imbaúba, erva-tostão etc.) pertencentes a vários orixás, sendo, de cada uma, utilizadas 16 folhas. Já para o assentamento do orixá em seu otá ou ferramentas, só se usam as folhas a ele pertencentes.

Damos, a seguir, uma relação de plantas ligadas a Oxum — divindade úmida, que comanda o baixo-ventre, castiga enviando cólicas, atacando as partes genitais e que, por isso, governa as ervas anti-sépticas, desinflamatórias, como o malmequer

• **LOGUNEDÉ** •

(cf. Bastide) —; a Oxóssi e, naturalmente, a Logunedé. São elas:

◆Abóbora
V. em Calabaza.

◆Alamanda
(Allamanda cathartica; Orelia grandiflora) — Arbusto sarmentoso, da família das Apocináceas, cujas flores amarelas são dedicadas a Oxum.

◆Alevante
O mesmo que bradamundo.

◆Alfavaca-do-campo
(Ocimum incanescens) — Erva da família das Labiadas, também conhecida como segurelha e alfavaca-de-vaqueiro. É planta votiva de Oxóssi.

◆Alfavaquinha-de-cobra
(Piperomia pellucida) — Planta da família das

Piperáceas, também conhecida como oriri (do iorubá rínrín). Planta de Oxum, suas folhas, usadas nos rituais de iniciação, são parte importante do omi-eró, onde se constituem em elemento de calma, abrandador do transe.

◆ Alubaça
Denominação da cebola (q. v.), nos terreiros tradicionais. P. ext., método binário de adivinhação que consiste na utilização das duas metades de uma cebola, também chamado "jogo da alubaça". Pertence a Oxum. Do iorubá *alubósà*.

◆ Batata-doce
(Ipomea batatas; Convolvulus batatas) — Planta da família das Convolvuláceas. Na tradição religiosa afro-brasileira, é votiva de Oxumarê. Em Cuba, onde é chamada boniato, pertence a Orixá-Oko e Oxum mas é de gosto de todos os orixás, à exceção de Obatalá e Oyá. Lá, quando alguém

deseja pedir algo a Ossãim, leva ao mato uma batata-doce untada em *manteca de corojo* e faz o pedido.

◆ Baunilha
(Epidendrum vanilla) — Subarbusto da família das orquidáceas, de uso na tradição brasileira dos orixás, onde é planta votiva de Oxum. Em Cuba, a *vainilla amarilla*, para as mulheres, e a *vainilla rosada*, para os homens, são usadas para alimentar o axé desse orixá. No Brasil, a subespécie conhecida como baunilha-de-nicuri (Vanilla palmarum) é também usada ritualisticamente na tradição dos orixás.

◆ Bradamundo
(Amomum cardamomum) — Planta da família das Zingiberáceas, também conhecida pelos nomes de alevante e cardamomo, usada coma aromatizante em banhos rituais.

♦ Bredo
Nome comum a três espécies de ervas: o caruru-do-mato ou bredo-rabaça (Amarantus flavus), o caruru-verdadeiro ou bredo-verdadeiro (Amarantus blitum) da família das Amarantáceas; e a erva-tostão ou pega-pinto (Boerhavia hirsuta, da família das Nictagináceas), todas usadas em rituais da tradição afro-brasileira.

♦ Brinco-de-princesa
Nome comum a várias espécies de plantas da família das Enoteráceas, todas, na tradição brasileira dos orixás, consagradas a Oxóssi.

♦ Caculucaje
O mesmo que quitoco.

♦ Caiçara
(Solanum pulvurulentum) — Planta da família das Solanáceas, pertencente a Oxóssi.

• **LOGUNEDÉ** •

♦ Cajueiro
V. Maranon.

♦ Calabaza
Nome cubano da abóbora-menina ou abóbora-de-guiné (*Cucurbita maxima*). Na tradição religiosa afro-cubana é vegetal de Oxum e constitui um dos maiores tabus da santería, por ser "filha legítima" de Xangô. O mito que dá origem a essa interdição parece ser o mesmo que proíbe, no Brasil, a ingestão de abóbora a todos os praticantes do culto nagô. Ele conta o seguinte: Um dia Iemanjá surpreendeu Oxum, dentro de um poço rodeada de abóboras, pecando com Orumilá, que era então marido de Iemanjá. Todos os orixás souberam e, assim, a pecadora, envergonhada, repudiou a abóbora, só usando uma delas para, em seu interior, esconder seus feitiços e encantamentos. Após o pecaminoso incidente, Oxum, depois de ter dado a luz várias vezes, viu que seu corpo estava se deformando. Então, foi

pelo mato chorando e pedindo ajuda a várias plantas. A primeira que lhe atendeu foi a cabaceira, mas a cabaça quando secou, as sementes chocalhavam dentro e isso a incomodou. Aí ela encontrou uma abóbora-moranga e passando-a pelo ventre, recoborou sua boa forma. Desde então, Oxum passou a fazer milagres, curando mulheres no rio com abóbora e milho. Mas a abóbora representa o ventre, então não se deve comê-la.

◆ Calêndula
O mesmo que malmequer (q.v.).

◆ Cana-do-brejo
(Costus spicatus; Costus arabicus; Alpinia spicata; Sagitaria tuberosa) — Planta herbácea da família das Zingiberáceas, também conhecida como cana-de-macaco, paco-catinga, sangolovô, ubacaia etc. É planta de Oxalá e seu nome iorubano é tètèrègún.

◆ Carqueja

(Borreria captata) —Planta da família das Rubiáceas, consagrada a Oxóssi.

◆ Carrapicho-beiço-de-boi

(Desmodium adscendens) — Planta da família das Leguminosas, pertencente a Oxóssi.

◆ Caruru

V. Bredo

◆ Cebola

(Allium cepa)
Planta da família das Liliáceas. Pertence a Oxum.
V. Alubaça

◆ Colonía

Um dos nomes cubanos do *cojate* (Alpinia aromatica), planta da família das Zingiberáceas, conhecida no Brasil como vindecaá, pacoseroca ou pacová (cana-branca-do-brejo). É planta de Obatalá e, na província de Matanzas, de Oxum.

◆ Copetuda
V. Malmequer.

◆ Erva-capitão
(Hydrocotile umbellata; Hydrocotile bonairensis) — Erva da família das Umbelíferas, também conhecida como acariçoba. Na tradição religiosa afro-brasileira, é erva de Oxum e tão identificada com esse orixá que seu nome iorubano é *abèbè òsún*, nome que literalmente significa "leque de Oxum".

◆ Erva-cidreira
(Melissa officinalis) — Planta da família das Labiadas, de largo uso nas tradições fitoterápica e religiosa afro-brasileiras, pertencente a Oxum.

◆ Erva-de-santa-luzia
(Pistia stratiotes) — Planta aquática da família das

Aráceas, também conhecida pelos nomes de lentilha-d agua e pasta, pertencente a Oxum.

◆ Eurepepê
V. Pimentinha-d'água.

◆ Folha-de-dez-réis
(Hidrocotyle cymbellata) — Planta da família das Umbelíferas, pertencente a Oxum.

◆ Folha-de-feiticeira
Planta da família das Compostas, ainda sem classificação científica. Igualmente conhecida como folha-da-felicidade (também um dos nomes do feto), é, na tradição brasileira, pertencente a Oxum. Seu nome é tradução do iorubá *ewé àjè*.

◆ Girassol
(Helianthus annuus) — Arbusto da família das Compostas. Destacando-se pela beleza e força magnética de sua flor, é usada, inclusive através

de suas sementes, em processos divinatórios e iniciáticos. No Brasil, pertence a Oxalá e, em Cuba, a Oxum, que gosta muito de vê-la nas casas de seus filhos, atraindo sempre boas influências.

◆ Golfo

(Nymphaea alba) — Planta herbácea, aquática, da família das Ninfeáceas, também conhecida como nenúfar. Dá flores brancas, ao contrário das variedades de nenúfares *Nymphaea rudgeana*, de flores vermelhas, e *Nymphea lutea*, de flores amarelas. É planta de Oxum e em iorubá tem o nome de *òsibàtà*.

◆ Helecho

Nome cubano do limo de rio (Osmunda regalis), uma das principais ervas do omi-eró dos assentamentos, pertencente a Oxum.

◆ Jambo-amarelo

V. Pomarrosa

◆ Janaúba
(Plumeria drastica) — Arvore da família das Apocináceas, também conhecida como jasmim-manga. E planta de Oxóssi.

◆ Jarrinha
(Aristolochia brasiliensis) — Planta trepadeira da família das Aristoloquiáceas, também conhecida como papo-de-peru, mil-homens e jiboinha. É planta de Oxum e suas folhas são parte importante do omi-eró, constituindo-se em um dos elementos de provocação da presença do orixá.

◆ Jureminha
(Mimosa malacocantra) — Planta da família das leguminosas, pertencente, na tradição brasileira dos orixás, a Oxóssi.

◆ Laranja
Fruto da laranjeira. Na tradição afro-cubana, a laranja é tida como o fruto predileto de Oxum.

• LOGUNEDÉ •

Oferenda das mais recomendáveis, segundo Lydia Cabrera, é oferecer-se-lhe uma cesta de laranjas, maduras e bonitas, na margem de um rio.

◆ Macaçá
(Tanacetum vulgare) — Erva da família das Compostas, também conhecida como catinga-de-mulata. Pertencente a Oxum e de odor agradável, é comumente usada em banhos lustrais.

◆ Malanga
(Xantosoma sagitifolium) — Nome cubano de uma espécie de taioba, denominação comum, no Brasil, a diversas plantas da família das Aráceas, de tubérculo comestível. Em uma folha de *malanga* é que se guarda o *derecho*, i.e., o pagamento em dinheiro que o ritualista recebe por seu trabalho na cerimônia de assentamento do orixá. As folhas de *malanga*, além de vários outros usos, servem como instrumento de trabalho de Iemanjá. Mas a *malanga* amarela, de

usos idênticos, pertence a Oxum. O nome tem origem no quicongo *ma-langa*.

◆ Malmequer
(Calendula officinalis; Weddelia paludosa) — Planta da família das Compostas, também conhecida como maravilhas e calêndula. Na tradição afro-brasileira, é planta de Oxum, assim como em Cuba, onde recebe o nome de *copetuda* e é usada nos banhos de limpeza das pessoas demasiadamente sensíveis. Na medicina, é antiinflamatória e anti-séptica.

◆ Malva
Denominação comum a várias espécies de plantas da família das Malváceas (Athaea rósea; Sida macrodon; Sida cordifolia; Sida linifolia), todas usadas em rituais da tradição afro-brasileira. É planta de Oxóssi.

◆ Mangue
(Risophora mangle) — Vegetação aquática, pertencente a Inlê e Oxum.

◆ Manjericão
(Ocimum basilicum) — Planta aromática da família das Labiadas, também conhecida como alfavaca-de-horta, alfavaca-cheirosa e manjericão-de-molho. É planta de Oxum.

◆ Marañon
Nome cubano do cajueiro (Anacardium occidentale). Na *santería*, é planta de Oxum, Inlê e Xangô, possuindo vários usos rituais e medicinais.

◆ Melão
Fruto da preferência de Logunedé.

◆ Melombe
O mesmo que mil-homens ou jarrinha.

◆ Milho
(Zea mays) — Planta da família das Gramíneas. Planta de Oxóssi na tradição brasileira, em Cuba o milho é do gosto de todos os orixás. As espigas

assadas se oferecem a *Babalu-Ayé*; os grãos tostados a Elegguá, Ogum e Oxóssi; a Oxum e Iemanjá, as espigas cortadas em pedaços; moído, a Iemanjá; e as pipocas, a todos os orixás, principalmente Obatalá e Ibêji. Do milho, fazem-se também, em Cuba, bebidas como o *cheketé* (especie de aluá), bolos e pães.

• Mil-homens
O mesmo que jarrinha ou melombe.

• Nenúfar
V. Golfo

• Nicurizeiro
(Cocos coronata, Palmaceae) — Palmeira também conhecida pelos nomes de nicuri, ouricuri e uricuri. É árvore de Oxóssi.

• Orepepê
V. Pimentinha-d'água

◆ Papo-de-peru
O mesmo que jarrinha.

◆ Pega-pinto
O mesmo que erva-tostão.

◆ Perejil
Nome espanhol da salsa (Petroselinum sativum; Apium petroselinum), planta herbácea da família das Umbelíferas. Na santería. é folha de Oxum, usada em várias situações rituais. Entre os afro-cubanos, jogá-la, picada bem miúda, com água, mel e canela em pó, na porta de casa, é ritual para pedir dinheiro e sustento à "deusa do ouro".

◆ Pimentinha-d'água
(Spilanthes acmella; Acmalia mauritana) — Planta herbácea da família das Compostas, também conhecida como jambu-açu e agrião-do-brasil. Na tradição brasileira, na qual é planta votiva de Oxum, é também chamada eurepepê ou orepepê (do iorubá wèrèpèpé).

• **LOGUNEDÉ** •

◆ Pomarrosa

Nome cubano do jambo-amarelo (Jambosa vulgaris; Eugenia jambosa), árvore da família das Mirtáceas, de fruto globoso, amarelo-rosado. É planta de Oxum, muito respeitada pelo *mayomberos* cubanos.

◆ Prodigiosa

Nome cubano do saião, também lá conhecido como *siempre viva*. É planta de Oxum.

◆ Quioiô

O mesmo que alfavaca.

◆ Quitoco

(Pluchea quitoc; Gnaphalium suaveolens; Lonchantera sagittalis) — Planta herbácea da família das Compostas, também conhecida como caculucage e tabacarana. Na tradição dos orixás, é planta votiva de Oxóssi.

◆ **Saco-saco**
Planta da flora medicinal brasileira. Em Cuba, é planta de Inlê.

◆ **Saião**
V. Prodigiosa.

◆ **Salsa**
V. Perejil.

◆ **Salsa-da-praia**
(Ipomoea asariflora; Ipomoea maritima; Covolvulus brasiliensis) — Planta herbácea, rasteira, da família das Convolvuláceas. Pertencente a todas as labás, suas folhas têm grande importância no omi-eró, constituindo-se, aí, num dos elementos de calma.

◆ **São-gonçalinho**
(Cassiana sylvestre) — Planta da família das Flacortiáceas. Consagrada a Oxóssi, é utilizada

• **LOGUNEDÉ** •

---

sob as esteiras das iaôs durante a iniciação e como cobertura do piso do barracão nas festas. Além disso, é uma das folhas que entram na composição do omi-eró dos ritos iniciáticos.

◆ Uepepê
Alteração de EUREPEPÊ.

◆ Vassourinha-de-nossa-senhora
(Scoparia dulcis) — Planta da família das Escrofulariáceas, pertencente a Oxum.

◆ Vassourinha-de-relógio
(Malvastrum coromandelianum) — Planta da família das Malváceas, votiva de Oxum.

12 | ASSENTAMENTO, INICIAÇÃO ETC.

O otá de Logunedé é, simplesmente, uma pedra de mato ou de rio (ou ambas), que deve repousar num prato najé, com miniaturas de seta e espada de latão, no azeite-de-dendê ou no mel, dentro de uma bacia de louça branca.

Já a iniciação de um filho-de-santo de Logunedé demanda cuidados especiais, principalmente em função das duas fases de sua mutação. Se o orixá está predominantemente sob a vibração de Inlê, masculina portanto, os

• LOGUNEDÉ •

ritos de feitura serão cumpridos de um jeito; se, ao contrário, a vibração de frente for a de Oxum, feminina, tudo deverá ser feito de outra forma. O princípio genitor que estiver imperando e mais o sexo do iniciado, a fase da lua e o dia da semana, entre outros fatores, vão determinar a natureza e o número das folhas votivas a serem utilizadas, o momento de sua coleta, o maior ou menor número de cantigas a serem entoadas para Oxum e Inlê, a seqüência das oferendas e até mesmo os dias de clausura do iniciando.

O dia da semana tradicionalmente consagrado a Logunedé é a quinta-feira, dia de Oxóssi. Entretanto, como o sábado é consagrado a Oxum, esse também pode ser considerado um dia propício às suas homenagens e oferendas.

Da mesma forma, quanto ao número simbólico: 4 é o de Oxóssi; 16 é o de Oxum. Então, ambos, e até mesmo o 8, são números associados a Logunedé.

◆ LOGUNEDÉ ◆

Quanto às atividades e artes sob seu governo, Logunedé protege os navegantes. Inlê ou Erinlê, por sua vez, é tido entre os iorubanos como a divindade da música, ao mesmo tempo que, entre os cubanos é a divindade da economia extrativa e especificamente da pesca e da recoleção pré-hortícola (cf. N. Arosteguy). Então, navegação, música, caça e pesca são as atividades sob sua proteção.

Mas Logunedé é, antes de tudo, um encantador, um realizador de prodígios. Assim, ensina uma tradição popular que, para obter, de Logunedé, um amor forte e duradouro, o interessado deve pegar um peixe vermelho (uma cioba, de preferência), abri-lo e retirar suas vísceras; escrever sete vezes o seu nome e o da pessoa amada em papéis separados e coloca-los dentro do peixe, untando-o com bastante mel; a seguir, deve costurar o peixe com linha branca nova e agulha virgem; depois, fritar o peixe no azeite doce, arrumá-lo numa travessa enfeitada de amarelo-ouro e azul-turquesa; levar a rio de água limpa e oferecer tudo a Logunedé, lembrando a ele que ele nasceu do amor de Oxum e Inlê, e, assim, pedir que ele faça nascer um forte amor entre o ofertante e a pessoa desejada.

Ao fazer a oferenda, o interessado vai, logicamente, saudar o orixá. E essa saudação é feita, bradando-se "Lô-si, lô-si, Logun! (talvez de *Olóòsi* ou *Lóòsi*, um título iorubá) ou "Ou-oriqui-oluaô, Logun!" (provavelmente "eu louvo o dono do segredo Logun!").

Outras invocações, presentes em cânticos iorubanos em louvor de Logunedé são: *Kekere ode mo júbà o!* (jovem caçador, eu te reverencio), *Ajá èdè o!* (proteja-me, caçador!), *E wa wó orí èdé o!* (Venham ver o ori do protegido por Logunedé), *Ológunédé nwe omo re bó* (Logunedé está trazendo seus filhos), *Mé mà lóògun o* (não faça magia ofensiva) etc.

Uma fórmula de bênção é *Àse Ologun-Edé yóò bá o gbé láyé* (o axé de Logunedé vai acompanhar você por toda a vida), ao qual o abençoado responde ase, a se o (assim será).

13 | LOGUNEDÉ E A MÚSICA

Em 1980, o Centro de Estudos Afro-Orientais da UFBA publicava uma *plaquette* intitulada "Um melótipo iorubá-nagô para os cânticos religiosos da diáspora negra", tradução de um texto do etnomusicólogo norte-americano D. Baillie Welch. Nele, o cientista procurava demonstrar a existência de um padrão de criação musical que associa, indiscutivelmente, as cantigas do candomblé baiano às canções rituais de sua matriz iorubana.

O texto lembrava que embora a significação literal dos textos iorubás, ou seja, a interpretação do sentido profundo dos poemas de louvor, dos oriquis, possa ter-se perdido, pela perda da prática cotidiana do exercício da língua, o significado deles permanece na mente dos fiéis. E que a identificação perfeita da origem desses cânticos não é tão importante e nem sua tradução, importando, mais que tudo isso, o fato de que esses cânticos resistiram até nossos dias.

Essa opinião de Welch, entretanto, não é compartilhada pela comunidade religiosa afro-brasileira. Entendemos que, quanto mais tentativas se fizerem para a exata compreensão das mensagens contidas nos cânticos, como veremos adiante, melhor será preservada a tradição.

Registrada essa observação, lembremos, como já foi dito, que, entre os iorubás, Erinlê ou Inlê é tido, também, como a divindade da música. E que esse traço, no Brasil, está mais associado a

• LOGUNEDÉ •

Logunedé que a qualquer outro orixá. Assim, o canto e a dança do orixá revestem-se de particularidades que remontam à terra de origem.

Segundo a tradição ijexá, o papel da mulher é de condutora principal dos rituais religiosos, sendo, ela, inclusive, responsável pela percussão dos ilús, instrumentos indispensáveis nas festas de louvor a Oxum. E a denominação "ilú" é específica de um gênero de tambor bimembranófono, encourado dos dois lados, usado exclusivamente nos candomblés de nação ijexá.

Raul Lody registrou em Cachoeira, no Recôncavo Baiano, a presença do *ilú abá demin*, um atabaque de cerca de 1,20 m. de altura, consistente em uma caixa de madeira ripada "tipo charuto"(sic), encouramento duplo e uma área dentada como um reco-reco, tocado sobre um cavalete de madeira por três mulheres ao mesmo tempo, sendo específico do culto de Oxum. Da mesma forma, Euclides M. Ferreira registra a presença de um ilú desse tipo na Casa de Fanti-Axanti, no Maranhão (cf. "O Candomblé no Maranhão", 1984).

A percussão dos ilús e os cânticos em louvor de Oxum e Logunedé eram algumas das características dos antigos afoxés. E o nome "afoxé" designa, como sabemos, um tipo de cordão carnavalesco em geral integrado por adeptos da tradição dos orixás e outrora também chamado "candomblé de rua".

Essa denominação "candomblé de rua" reflete o fato de que, historicamente todos os afoxés baianos nasceram em comunidades de terreiros e foram dirigidos por babalorixás ou outras personalidades do culto. Por exemplo, Eduardo de Ijexá (Odé Baybi), venerável babalorixá falecido com mais de cem anos, na década de 1980, foi um dos dirigentes do afoxé Omadê Moixirê, cujo nome iorubá, segundo Antônio Risério ("Carnaval Ijexá", Ed. Corrupio, 1981), se traduz em português pela sugestiva expressão "os meninos estão brincando".

• **LOGUNEDÉ** •

Observe-se também que o termo se origina no iorubá *àfose* (encantação; palavra eficaz, operante) e corresponde ao afro-cubano *afoché*, o qual, por sua vez, significa "pó mágico"; enfeitiçar com pó, "jogar um atim". E aí está a origem histórica do termo: os antigos afoxés procuravam "encantar" os concorrentes.

Os afoxés surgem em Salvador, BA, em 1895, experimentam um período de vitalidade até o final da década, para declinarem até o término dos anos de 1920. O mais famoso é o Pândegos de África, que só perdeu em popularidade para o Filhos de Gandhi, surgido nos anos 40. Segundo Raul Lody, nos Pândegos de África, as indumentárias e adereços principais, além dos identificadores e simbolizadores de Oxalá, eram os de Oxum e Oxóssi.

O termo "afoxé" ou "afoxê" é também usado para designar, principalmente em São Paulo, uma espécie de chocalho de cabaça da tradição afro-brasileira, semelhante ao xequeré. E aí o termo certamente decorre da denominação do cortejo, em cuja orquestra o xequeré tem papel fundamental.

Em Cuba, a tradição ijexá (*iyesa*) também se faz presente de forma bastante expressiva na música ritual. Nesta, a orquestra de tambores, à qual se agregam dois agogôs e um *güiro* (reco-reco de cabaça), se compõe de quatro instrumentos sagrados, conhecidos genericamente por *añá*. São de forma cilíndrica e feitos de troncos de cedro ocados a mão. Bimembranófonos e encourados com pele de cabrito, são tensionados através de cordões de fibra vegetal enlaçados em movimento de ziguezague, como os ilús brasileiros. Denominam-se *caja, segundo, tercero* e *bajo* e percutem-se, em geral, com baquetas de pau de goiabeira.

Finalmente, veja-se que, no Brasil, a coreografia das danças de Logunedé — executadas tanto no ritmo conhecido como ijexá quanto em outros como aguerê, adarrum, batá e egó — são extremamente ricas e elaboradas, pois ora ele dança como o pai, ora com os trejeitos da mãe.

As danças de Oxóssi , e certamente as de Inlê, representam os passos da caçada. Nelas, o caçador descobre no chão o rastro de animais, que segue cautelosamente, retesa o arco e atira a flecha, rejubilando-se na alegria do alvo alcançado, sempre ao ritmo do toque aguerê. Já as de Oxum evocam o comportamento de uma mulher vaidosa qua vai ao rio se banhar e embelezar, sempre no ritmo ijexá, que é o preferido, também, de Logunedé.

CÂNTICOS RITUAIS

Traduzir para o português cânticos em língua iorubá que já circulam no Brasil há, pelo menos, duzentos anos e que só tinham sido escritos, alguns, em sua versão fonética, é tarefa quase que arqueológica. Mas isso foi feito, nestes anos de 1990, primeiro por dois iorubanos e, depois, por um brasileiro.

• **LOGUNEDÉ** •

A partir daí, tomamos a seqüência mais conhecida e popular das cantigas em honra de Logunedé e registramos duas traduções. A primeira, tentativa, com a versão em iorubá proposta por Kayode & Oluyemi (v. bibl.) e com a trasladação para o português a partir das possibilidades de tradução oferecidas pelos autores. A segunda, fornecida por Altair Bento de Oliveira (T'Ogun), um dos maiores conhecedores da língua iorubá no Brasil, no livro "Cantando para os orixás" (Pallas, 1997) e extraída da série de 27 cantigas de Logunedé por ele registradas e cujas traduções nos parecem bem de acordo com o padrão poético dos oriquis iorubanos. Não obstante, ambos os trabalhos, o dos escritores nigerianos e o do babalorixá brasileiro, representam um serviço inestimável prestado à cultura religiosa afro-brasileira, no sentido da recuperação e do registro escrito de um repertório oral, antes fadado à crescente deturpação e, por conseqüência, ao desaparecimento.

KAYODE & OLUFEMI

1.
Solo: Olórò a k'ofà re o a k'ofà re o
Coro: Rere, a k'ofà
Èmi o re'lé Logun o
re'le a k'ofà

Pronúncia:

[Olôro a cófáréuá cofáréô

Rere, acófá

Emiorelê Logun ô

Rere acófá

(o "r " é sempre brando, como em "erê")]

Dono da cerimônia, que carrega arco-e-flecha

Bom (caçador) que carrega arco-e-flecha

Eu vou pra casa, Logun,

Carregando arco-e-flecha.

Solo: Ofá Logun

Arco e flecha de Logun.

Coro: Rere, a k'ofà
Bom caçador que carrega arco-e-flecha

Solo: Ofà odelonà [Ofá odélonã]
Arco-e-flecha do caçador dono do caminho

Coro: Rere, a k'ofà

Solo: Ofà olòrigun
Arco-e-flecha do chefe dos guerreiros

Coro: Rere, a k'ofà

Solo: Ofà olú ogun
Arco e flecha do senhor da guerra

Coro: Rere, a k'ofà

2.

Coro: Aye, aye, odè l'ó oko
[Aê-aê, odé locô]
Viva! O caçador vai para o mato!

Solo: Odè l'oko n'iba yin
[Odé locô nibaím]
O caçador no mato, reverenciemos!

Coro: Aye, aye, odè l'Ó oko

• **LOGUNEDÉ** •

Solo: Odè l'oko l'abamò

O caçador no mato tem sofrimento.

3.

Coro: Yé yé, yé, e, yé

Logun m'è lè bòkè

[lê, ê, ê, ê, ê Logun meleboquê]

Salve Logum invencível!

Solo: Yé, logun, a ró, a ró

[lê, Logun a rô, a rô]

Logum faz barulho.

Coro: Párá Logun pára Logun pá

Logum mata de repente.

4.

Coro: Aiyé a b'orisà

[Aiê, aborixá]

Mundo, nós cultuamos o orixá

Solo: **Logun àgbekoya, kò yà**

[Logun abécóia, cóia]

Logum, feiticeiro muito valente

recusa o sofrimento

• LOGUNEDÉ •

Obs.: Esta versão, conhecida por nós, é uma condensação das cantigas de números 4 e 5 abaixo transcritas.

ALTAIR T'OGUM

1.

Solo: Olówó a kofà rè a kofà rè wo

[Oluô acófáré acofáréuô]

Rico senhor, pegaremos seu arco-e-flecha

Pegaremos seu arco-e-flecha para o cultuarmos.

Coro: É a kofà ijó ijó Lògún ó é a kofà

[Ê acófá ijô ijô Logum ô ê acófá]

Vamos pegar o arco-e-flecha e dançar para Logum

Vamos pegar o arco-e-flecha.

Solo: A Lògún

Coro: E má à kò ofà

Não nos recuse o arco-e-flecha

Solo: Ode lònòn

[Odé lónã]

Caçador dos caminhos

• **LOGUNEDÉ** •

Coro: E má à kò ofà
Solo: Olòrí gún
[Olorigum]
Chefe que sabe flechar.
Coro: E má À kò ofà

2.

Coro: Aé aé ode Lògún
[Aê, aê, odé Logum]
Aê, aê, Logum caçador
Solo: Ode Lògún ní báàyií
[Odé Logum nibanhíi]
Logum caçador é assim.
Coro: Odé Lògún lofa mòn
[Odé Logum lófámã]
O caçador Logum tem arco-e-flecha e sabe usá-lo.

3.

Coro: E é é é é, é
Lògún dé lé k'òkè
[Ê ê ê ê ê, Logum delê coquê]
Logum chegou na casa e gritou alto.

• LOGUNEDÉ •

Solo: É Lògún eron eron

[Ê Logum erã, erã]

Logum caça os animais selvagens

Coro: Pa Lògún pa, Làgún pa

Logum mata, Logum mata.

4.

Coro: Aiyé oba ní sa

Solo: Lògún dé lé rè

[Aiê obá nixá Logum delerê]

Coro: Àiyé oba ní sà

Solo: Lògún dé lé wa

[Aiê obá nixá Logum deleuá]

O rei da terra (do lugar) foi quem escolheu

Logum que chegou à sua casa.

O rei da terra (do lugar) foi quem escolheu

Logum que chegou à nossa casa.

5.

Solo: Lógun ode kò iyà kò iyà

Coro: Lógun ode kò iyà kò iyà

◆ LOGUNEDÉ ◆

o loro a kó fã ré a kó fã ré o ô o   rere   a kó   fã   etc...

Algumas cantigas de Logunedé (sequência).

◆ LOGUNEDÉ ◆

        [Logum odé cóia cóia]

        Logum, o caçador, não castiga.

Solo: Ijó ijó fíríi l'aya,

Coro: Lógun ode kò iyà kò iyà

        [Ijô ijô firi láia Logum odé cóia cóia]

        Quem tem a dança livremente no peito

        Logum, o caçador, não castiga.

MÚSICA POPULAR

LOGUNEDÉ

(Gilberto Gil)

É de Logunedé a doçura
Filho de Oxum, Logunedé
Mimo de Oxum, Logunedé edé edé
Tanta ternura.
É de Logunedé a riqueza
Filho de Oxum, Logunedé
Mimo de Oxum, Logunedé edé edé
Tanta beleza

Logunedé é demais
Sabido puxou aos pais
Astúcia de caçador
Paciência de pescador
Logunedé é demais
Logunedé é depois
Que Oxóssi encontra a mulher

• **LOGUNEDÉ** •

Que a mulher decide ser
A mãe de todo prazer
Logunedé é depois.

É pra Logunedé a carícia
Filho de Oxum, Logunedé
Mimo de Oxum, Logunedé
Edé Edé é delícia.

LOGUNEDÉ
(Berimbau e Ildásio Tavares)

Ê ê ê ê ê
Fará Logun, fará Logun, fá!

No fundo da mata escondeu
Seu tesouro
Tesouro tirado do fundo do mar.
De conchas e búzios e peixes
De ouro, tesouro
De Oxum pra Oxóssi guardar.
Ê ê ê ê ê etc.

◆ **LOGUNEDÉ** ◆

Brincou pelo mato o menino

Guerreiro na caça e na pesca

Reinando Logun.

Cantou foi pro mar

Mergulhou bem ligeiro

Tirando de Oxóssi

O tesouro de Oxum.

[Gravação de Eloah, lp "Os Orixás" — Som Livre n° 409.6024 (1978)]

AFOXÉ PRA LOGUN

(Nei Lopes)

Menino caçador, flecha no mato bravio

menino pescador, pedra no fundo rio

Coroa reluzente, todo ouro sobre azul

Menino onipotente, meio Oxóssi meio Oxum.

É, é, é , é ...

Quem é que ele é?

A, a, a, á ...

• **LOGUNEDÉ** •

Onde é que ele está?

Axé, menino, axé!

Fara, Logun! Fara, Logun, fá!

Menino meu amor, minha mãe, meu pai, meu filho,

Toma teu axoxó, teu onjé de coco e milho

Me dá do teu axé que eu te dou teu mulucum

Menino onipotente, meio Oxóssi meio Oxum.

É, é, é, é...

Quem é que ele é etc.

[Gravação de Clara Nunes, lp "Nação" - EMI nº 062.421236 (1982)]

14 | CATOLIZAÇÕES

Em religião, o que se conhece como "sincretismo" é a fusão aleatória, sem fundamento, de elementos de doutrinas diferentes.

Com relação ao encontro das religiões africanas com o cristianismo, a Ciência de hoje rejeita a tradicional expressão "sincretismo religioso", já que o catolicismo e os cultos negro-africanos compreendem estruturas e sistemas incompatíveis entre si.

Entendem os cientistas modernos que os antigos negros, quando associaram orixás a santos, não misturaram as duas estruturas mas apenas, respeitosamente, através de comparações e semelhanças, trouxeram os santos católicos para o âmbito de suas crenças, da mesma forma que os romanos, por exemplo, entronizavam em seus templos os deuses dos adversários vencidos.

Veja-se também que, embora imposto de maneira quase sempre violenta, o Cristianismo, seja na forma católica ou protestante, também sofreu, na mão do negro, no Brasil, nos Estados Unidos, no Caribe ou no Rio da Prata, fortes transformações. E que o fato de certas comemorações litúrgicas das religiões afro- americanas serem realizadas em dias santificados pelo catolicismo é resultado de nada mais que uma estratégia dos negros escravos: como não tinham folga em seu trabalho a não ser nos dias santificados dos brancos, eles usavam esses dias para fazer também as suas comemorações, à sua moda.

• **LOGUNEDÉ** •

Daí, por exemplo, o costume de se comemorar Oxóssi no dia de Corpus Christi (já em Portugal havia uma procissão de São Jorge nesse dia e São Jorge, era um "caçador", já que matou um dragão); Ogum no dia de Sto. Antônio (Sto. Antônio tinha uma patente no Exército Brasileiro, então era um guerreiro); Xangô Airá no dia de São João e Xangô Afonjá no de São Pedro (Xangô é o orixá do fogo e as noites de São Pedro e São João se celebram com fogueiras) etc.

Uma outra estratégia de associação partiu da observação das imagens com que se representam os santos católicos. Oxóssi, por exemplo, cultuado como uma divindade da caça e, por conseguinte como um orixá do mato, foi identificado na Bahia com São Jorge, pelas razões já apontadas, e no Rio de Janeiro com São Sebastião (que é representado amarrado numa árvore dentro do mato); Ogum, divindade do ferro e conseqüentemente da guerra, é identificado na Bahia com Santo Antônio, como já vimos, e, no Rio de Janeiro com São Jorge, porque este é representado de armadura e portando uma lança. Então, o que às vezes se vê como sincretismo religioso é apenas aparência.

No Brasil e nas Américas, alguns santos católicos são associados a Logunedé e Inlê. O *Dicionário da Umbanda*, de Altair Pinto, por exemplo, associa, inexplicavelmente, o pequeno caçador a São Benedito. Outra aproximação, mais freqüente, se faz, também, com Santo Expedito, um dos seis mártires cristãos de Melitina, Armênia. Por analogia verbal, é invocado como intercessor imediato em casos urgentes, mas sua associação com Logunedé não está devidamente explicada. É festejado a 19 de abril.

Catolizações justificáveis e explicadas são as seguintes:

São Humberto — Falecido na Bélgica em 727, protege contra raiva e mordidas de serpentes, jovem pagão, aficionado da caça e da pesca, um dia teve uma visão de um cervo encantado, com um sinal da cruz entre os chifres, ao mesmo tempo que ouvia uma voz que o mandava converter-se ao cristianismo. Tempos depois da conversão, e tendo já empreendido longa missão evangélica, estava pescando no rio Mosa quando sofreu um acidente e morreu. Passou a ser, então, considerado padroeiro dos pescadores e caçadores, sendo comemorado a 3 de novembro e tendo como símbolo um veado. Relembre-se, aqui, um mito em que Oxalá se transforma num veado, diante do caçador Oxóssi.

São Miguel — Príncipe da milícia celestial e guerreiro de Deus na batalha contra Satanás. Na Bahia, defensor dos valentes e patrono dos capoeiras, é festejado a 29 de setembro. É associado a Inlê, talvez, porque se representa matando uma cobra, como um caçador, portanto.

São Rafael — Um dos anjos principais, festejado a 29 de outubro. Na Bíblia, no livro de Tobias, toma a forma humana para socorrê-lo. É associado a Inlê através do seguinte mito:

♦ **LOGUNEDÉ** ♦

Um dia o pescador Abatá decidiu sair para pescar mas o mar estava muito encrespado. Desesperado, Abatá rogou a Olofim que lhe mandasse pelo menos um peixe. Olofim estranhou o pedido de Abatá, que queria o peixe para seu pai que estava ficando cego. Enquanto implorava com grande devoção, Abatá viu que se aproximava uma grande nuvem, na qual ia sentado Inlê, o médico dos orixás, que lhe disse: "Abatá, Olofim me mandou ser teu protetor; me dá um pouco da água da cabaça que levas na cintura". Inlê bebeu a água, enquanto elevava um doce e suave canto a Olofim. Enquanto entoava sua prece, mergulhou no mar uma vara que trazia na mão. Imediatamente pescou um peixe, ela aro, oferecendo-o a Abatá. Ambos deram graças a Olofim. Este lhes falou, com sua voz de trovão: "Enquanto o mundo for mundo, você e Abatá vão estar sempre juntos. Os dois serão sábios médicos, capazes de realizar curas mágicas e com elas farão bem à humanidade". Abatá é representado por uma espécie de tridente em cujo cabo se entrelaçam duas cobras, e leva também duas penas de metal. O *eja aro*, peixe conhecido em Cuba como *guabina* (uma espécie de bagre) serve para curar a vista, para orar à cabeça e sua água é boa para banhos lustrais de limpeza contra os maus fluidos.

Este mito tem, no Antigo Testamento o seguinte correspondente:

Tobit, um israelita piedoso, tem uma série de problemas, e fica cego. Manda o filho Tobias buscar um dinheiro seu em outro país, O Anjo Gabriel, disfarçado, acompanha Tobias. E no rio Tigre faz surgir das águas um peixe que manda Tobias pegar, recomendando: "Abre o peixe, tora-lhe o fel, o coração e o fígado. Guarda-os contigo e joga fora as entranhas. O fel, o coração e o fígado são remédios úteis"(Tb. 6-4).

Daí a catolização de Inlê em Anjo Gabriel e Logunedé em Tobias, num relato popular didático escrito por autor desconhecido e em lugar ignorado, provavelmente por volta do ano 200 a. C. (cf. Bíblia Sagrada, Ed. Vozes, 1986).

No final do século passado, em Havana, Cuba, na localidade conhecida como Loma del Angel, era famosa a festa em honra de Inlê, a 24 de outubro, próximo ao dia de São Rafael. A ela acorriam, principalmente, os homossexuais de ambos os sexos. As sacadas das casas se engalanavam com cortinas desde a véspera. À noite queimava-se um peixe de palha recheado com pólvora e com foguetes presos no rabo. A procissão e os fogos de artifício eram esplêndidos. Uma das principais figuras dessa festa era *santera* conhecida como La Zumbáo, tida como líder de uma sociedade de lésbicas. Mas a festa foi decaindo e hoje, ao que consta, Inlê quase nem desce nas casas de culto cubanas.

Veja-se, finalmente, que, no Brasil, em 1983, as mais representativas lideranças brasileiras do Culto aos Orixás divulgaram, a partir da Bahia, um documento condenando o chamado "sincretismo afro-católico", com o correto argumento central de que ele, necessário durante a escravidão e a repressão, já não tem mais razão de ser.

15 | CORRESPONDÊNCIAS

Nos terreiros bantos do Brasil, Congobila é o nome da divindade correspondente ao Oxóssi nagô ou, mais especificamente a Logunedé.

O vocábulo provém do quicongo Ngòbila, nome de um inquice, precedido de *nkongo*, caçador, permitindo, assim, uma tradução para "o Caçador Ngòbila". Para ilustração, observe-se também que Gobila (ou Ngòbila) era o nome de um chefe local, no Congo do século XIX, referido pelo explorador Stanley na clássica narrativa sobre sua expedição.

• **LOGUNEDÉ** •

Alguns autores mencionam, também, a divindade Terecompenso, moço pescador, filho de Quissímbi, que seria o correspondente de Logunedé no angola. A essa divindade pertenceriam folhas que, na tradição iorubana pertencem a outros orixás, como cana-de-macaco, espinheira-santa etc.

Para o pensamento tradicional dos povos bantos em geral, a vida no plano invisível — obedecida aí a correlação entre as forças vitais deste e do outro lado da existência — assenta-se numa pirâmide que tem em seu topo o Criador de todas as coisas e, abaixo dele, por ordem decrescente de importância, o fundador do primeiro clã humano; os fundadores dos grupos primitivos; os heróis civilizadores; os espíritos e gênios, acima referidos; os antepassados qualificados; e os antepassados da comunidade. E essa divisão é rígida, não admitindo misturas.

Os gênios tutelares, criados por Nzambi (este nome ocorre, com pequenas variantes, em quase

• **LOGUNEDÉ** •

todas as línguas bantas) mas sem relação alguma com formas corporais humanas, estabelecem seu hábitat em lugares especiais como árvores, rios, lagos, pedras, o fundo da terra etc., que guardam e vigiam. Mas os há também habitando o ar, a chuva, as tormentas, e exercendo seu controle sobre a caça e a pesca, a agricultura, e até mesmo alguns aspectos abstratos da vida humana.

Entre os Ambundos, por exemplo, Lemba é o gênio tutelar da procriação e Ngonga o da harmonia conjugal. Entre os Zulus, Inkosazana é o gênio da natureza que faz o milho crescer. E em várias comunidades bantas os gênios protetores da caça e da pesca se evidenciam, como o ambundo Mutakalombu, nume tutelar dos animais aquáticos. Mas nenhum tem forma humana.

Foi, certamente, essa circunstância que moldou a imagem de "adoradores de pedras" atribuída aos bantos no Brasil, já que seus "deuses" não revestem forma humana. Mas a imagem é falsa: o que o suposto "adorador de pedra" objetiva, com suas oferendas e preces, não é a pedra em si, mas harmonizar-se com a força telúrica que nela habita, em busca da total harmonia, com o todo do Universo.

A não existência de divindades intermediárias de forma humana e sim gênios da natureza na tradição dos povos bantos define alguns aspectos de sua religiosidade. "Os bantos — assinala o missionário espanhol padre Raul R. de A. Altuna — não têm data fixa para celebrar cultos. Tão-pouco observam dias de preceito para realizar actos públicos nas aldeias. As comunidades são livres e acomodam-se às exigências que vão surgindo. Mas a espontaneidade no tempo não exclui a fidelidade aos ritos que a tradição fixou (...) Aparece, contudo, certa coincidência de cultos em determinadas épocas do ano ... (início das culturas, recoleção...) Também são regulares os ritos que acompanham os acontecimentos significativos da vida: nascimento, iniciação, matrimônio, morte".

Da mesma forma, os ritos tradicionais dos povos bantos prescindem de templos. "Basta-lhes — e aí o padre Altuna nos remete de pronto à célebre descrição do culto da Cabula feita pelo bispo D. joão Correia Nery no Espírito Santo, no Século XIX — reunirem-se num lugar do grande templo do universo. Mas é muito freqüente que cada grupo se retire, quando de atos culturais importantes, para bosques sacralizados, escondidos ao profano, ou debaixo de árvores onde a presença invisível se faz permanente".

Até a virada do século parece que as diferenças entre as tradições religiosas jeje-nagôs e as dos povos bantos eram bem marcadas, como ocorre, hoje, em Cuba. Entretanto, com o trabalho de afirmação e legitimação da tradição iorubá brilhantemente desenvolvido pela ialorixá Mãe Aninha, o predomínio dessa vertente ofusca as outras e as confunde.

• **LOGUNEDÉ** •

Eugênia Anna dos Santos, Obá-Biyi (1869 - 1938), carinhosamente chamada "Mãe Aninha", foi uma das maiores personalidades da cultura afro-brasileira. Mulher brilhante e de inteligência invulgar, procurou fortalecer o culto e garantir condições para seu livre exercício. Segundo consta, por intermédio de Oswaldo Aranha, que seria seu filho-de-santo, provocou a promulgação do Decreto Presidencial nº 1202, do primeiro governo de Getúlio Vargas. Além disso, reorganizou os nagôs na Bahia e no Rio de Janeiro, fundando, após seu desligamento do Engenho Velho, os dois Ilê Axé Opô Afonjá, o baiano e o carioca. Esposando uma idéia de Martiniano Eliseu do Bonfim, Aji-Mudá (1858 - 1943), venerando babalaô, criou em 1935, no Opô Afonjá, o corpo dos obás de Xangô, integrado por amigos e protetores do terreiro, como estratégia de proteção e legitimação da religião dos orixás.

A estruturação dos nagôs de Ketu, então, parece que interpenetra as outras linhas de culto. E de tal forma que Edison Carneiro (cf. "Negros Bantos", 1937) anotava uma surpreendente inscrição em iorubá no alto de uma parede no candomblé do Bate-Folha, Manso-Bandunquenque, prestigioso terreiro de nação congo, com sede em Salvador e sucursal no Rio.

Desqualificados como "atrasados", "adoradores de pedras" etc., como vemos, por exemplo, nos textos jornalísticos de João do Rio, reunidos em livro sob o título de "As Religiões no Rio", alguns seguidores dos cultos bantos, ao que se presume, começaram a engendrar formas ditas "de Angola" e "de Congo" mas que talvez não exprimam o sentido original de suas concepções religiosas mas apenas adaptam os princípios jeje-nagôs a um suposto universo congo-angolense.

O processo se radicalizou, ao que nos parece, com a criação no Brasil, e bem recentemente, de uma terminologia retirada do universo lingüístico banto mas que no entanto aparenta certa artificialidade. Como exemplos, vemos surgirem termos como mameto, tata ti inkice, inquiciane, xicarangomo etc., construídos a partir de vocábulos buscados em dicionários de Quimbundo e Quicongo.

Entende-se essa tentativa de resgate. Entretanto, cabe muito mais ao defensor da importância das culturas bantas é enfatizar a diferença estrutural existente e as múltiplas trocas ocorridas entre as duas vertentes e não engendrar identificações inexistentes ou advogar a pretensa superioridade de qualquer uma sobre a outra.

Assim, a título de ilustração, seguem as várias qualidades de Congobila (caçador) e Dandalunda (sereia) no candomblé angola.

Congobilas: — Katalambo, Gongojá, Tala Kewala, Kutala, Baranguanje, Mutalambo, Kitalamungongo, Okitalande, Tawa Min, Kaitimba, Mutakalambo, Sibalaé, Burungunsu; Dandalundas: — Kissimbi, Vinsin, Kitolomin, Nissalunda, Lundamudila, Danda Dalu, Danda Simbe, Danda Belé, Danda Possu, Danda Zuá, Danda Golungoloni, Danda

• **LOGUNEDÉ** •

Dila, Danda Maiombe (cf. José Rodrigues da Costa. "Candomblé de Angola". 3aed. Rio de Janeiro: Pallas, 1996).

Com relação à vertente mina-jeje de culto, vale registrar a presença em terreiros paulistas de Bosso Jara, vodum da mina maranhense tido como correspondente a Logunedé.

Esclareça-se que, na Casa das Minas, Boça ou Boçalabe é vodum feminino da família de Dambirá (panteão da terra); é mocinha alegre, brincalhona e anda sempre com o irmão Boçucó a quem protege. E este às vezes se esconde dela, transformando-se numa cobra que se oculta sob um cupinzeiro.

Interessante é analisar, também, a natureza de outro vodum da mina maranhense, Doçu: boêmio, poeta, compositor e tocador-, sabe dançar, é cavaleiro e usa chicote. Observe-se, entretanto, que "Bosso" parece ser mais um título, relacionado a "bozum", forma brasileira para *obosom*, termo que entre os Fantis e

Axantis designa qualquer entidade espiritual ou divindade. Por extensão, no Brasil, o vocábulo passou a designar qualquer forma de encantamento ou feitiço (bozó).

Finalmente, veja-se que alguns escritores afirmam a existência de outro correspondente jeje de Logunedé que seria a entidade denominada "Aguê-etala-aziri". Mas tal criação nos parece apenas uma composição fantasiosa, feita a partir dos nomes dos voduns Aguê e Aziri (v. Glossário). Porque, entre os voduns jejes — mas no Haiti — o que mais se aproxima da concepção que temos de Logunedé é Aguê-Torroiô.

Essa divindade, cujos domínios são as águas doces de rios, lagos e fontes, geralmente se apresenta, segundo seus fiéis, sob a forma de um peixe sendo que outro de seus símbolos é um barquinho a vela, que se pode ver nos seus assentamentos e que é, também, levado em grande pompa nas celebrações a ele dedicadas (Cf. Depestre).

16 | PRINCIPAIS TERREIROS

Uma das mais completas definições já formuladas sobre o sentido da Diáspora Africana está nesta afirmação do escritor haitiano Jacques-Stephen Aléxis: "A África – diz ele – não deixa em paz o negro, de qualquer país que seja; qualquer que seja o lugar de onde venha e para onde vá".

Bendita obsessão esta! Pois foi graças a ela que, quase 200 anos depois, os fundamentos da religiosidade ancestral permanecem, ou mal ou bem, firmes, fazendo das comunidades-terreiro núcleos de resistência e afirmação da africanidade em todo o território nacional.

Parece certo que o primeiro núcleo organizado da religião tradicional africana, de origem nagô, foi fundado na Bahia, por volta de 1830. E esse terreiro pioneiro, semente da célebre Casa Branca do Engenho Velho, é que teria dado origem às casas-de-santo mais importantes de Salvador, como o Axé Opô Afonjá e o Gantois, tão bem conhecidos. Entretanto, outros relatos históricos dão conta de que, entre 1797 e 1818, a rainha Nan Agotimé, mãe do rei Ghezo de Abomé, vendida para o Brasil como escrava, teria trazido para a antiga vila de Cachoeira, no Recôncavo Baiano, o culto do vodum jeje Zomadonu, o qual, depois levado para São Luís do Maranhão, deu origem à comunidade da Casa das Minas — único lugar fora da África onde são, até hoje, cultuados os ancestrais da família real do antigo Daomé.

Com relação aos cultos bantos, o registro mais antigo que se conhece é o da já mencionada

• LOGUNEDÉ •

Cabula, assunto de uma pastoral do bispo D. João Corrêa Nery, no Espírito Santo, no fim do século passado. E, apesar de não dispor de templo organizado em espaço físico exclusivo, realizando suas reuniões de culto ora em casa de um adepto ora no meio da mata, a comunidade dos cabulistas congregou, entre 1888 e 1900, mais de 8 mil pessoas.

Organizada, então, em sociedades e comunidades, a religiosidade da Diáspora africana ao invés de ser, como muitas vezes já se disse, algo pernicioso, a serviço do mal e da ignorância, representa, como bem acentua Juana Elbein dos Santos, a garantia da continuidade histórica do universo cultural africano em terra brasileira. E por baixo da música, da dança, dos relatos da tradição oral, dos paramentos, dos objetos rituais, da vida, enfim, das comunidades-terreiro podem-se encontrar, bastante bem preservados, alguns importantes fundamentos da Cultura nacional.

• LOGUNEDÉ •

Em termos estritamente religiosos, o papel social de um terreiro é agir como um veículo e um elo entre a Diáspora africana e seus ancestrais, biológicos ou míticos, próximos ou divinizados. E isto ao mesmo tempo que procura assegurar, através de oferendas, sacrifícios e festas, a comunicação entre os dois níveis da existência e a realização, por seus integrantes, do tão desejado trinômio paz-saúde-prosperidade.

Mas um terreiro, desde que tenha origem africana, seja ela qual for, e seja ele dedicado aos ancestrais ou aos orixás, não pode e não deve nunca ser visto como um simples espaço religioso. Bem mais do que isso, essas comunidades são pólos de onde se irradia a continuidade da experiência africana na Diáspora, vetores que são de uma resistência de quase 200 anos.

Embora desfrute de lugar reservado, na casa de Oxóssi, em, certamente, todos os terreiros tradicionais, Logunedé não tem, no Brasil, muitos templos fundados em sua honra. Mas entre os que existem, alguns são bons, firmes e valiosos.

O principal dentre esses é o Ilê Logunedé, no final da linha de Brotas, Salvador, fundado pelo venerável babalorixá Eduardo de Ijexá.

Eduardo Antônio Mangabeira, de nome iniciático Odé Baybi nasceu em Salvador, Bahia, em 1881. Mais conhecido como Eduardo de Ijexá, em alusão à região africana de onde teriam vindo seus pais, era meio-irmão do ex-governador baiano Otávio Mangabeira. Ilustre e sábio babalorixá, muito respeitado pelo povo-de-santo, celebrava Logunedé no dia 13 de outubro, numa belíssima festa, muito concorrida.

Nos anos de 1950, Eduardo de Ijexá, dirigiu cartas em perfeito iorubá ao rei de Ijexá, que as recebeu emocionado das mãos do etnólogo Pierre Verger. Era vivo em 1981 quando do I Encontro de Nações de Candomblé, realizado pelo CEAO da UFBa, mas já falecido em 1988.

• **LOGUNEDÉ** •

Outros terreiros que têm como orixá-patrono Logunedé são:

Ilê Axé Mina-Ijexá — Terreiro fundado, segundo informação do Dr. Dari José Paim Mota, nos anos 60 pela ialorixá Alaíde Pereira dos Santos, Ilukeran (1921-1997), iniciada pelo babalorixá Miguel Paiva, o Miguel D'Euandá. Localiza-se na rua Nova Brasília, em Brasília de Itapuã, Salvador (ref. pelo Dr. Dari José Paim Mota em entrevista a Rita Cajaíba, especialmente para este trabalho).

Ilê Omorodé Axé Orixá Nilá — Comunidade-terreiro liderada pelo babalorixá Augusto César da Silva Lacerda, nascido no Cabula, Salvador, em 1949, e pertencente à comunidade do Ilê Iyá Omin Axé Iyamassê, onde foi iniciado, em 1974, pela célebre ialorixá Maria Escolástica da Conceição Nazaré, a Mãe Menininha do Gantois (1894 - 1986), uma das figuras mais importantes do candomblé baiano, a qual conjugando admiravelmente a conciliação e a resistência granjeou, por seu carisma e popularidade, admiração e respeito para si e para a religião dos orixás. Profunda conhecedora das sutilezas da feitura e do culto de Logunedé, Mãe Meninha é a autora da antológica frase, a nós repassada pelo babalorixá do Ilê Omorodé, e que serviu de inspiração para o título deste trabalho. "Logunedé é santo menino que velho respeita"— dizia ela.

Como bom filho de Logunedé, Augusto Cesar Lacerda é também artista refinado, acumulando em seu currículo algumas premiações, inclusive internacionais, e a condição de diretor e criador das fantasias do conhecido bloco-afro Araketu, o qual recebeu esse nome por sua sugestão.

Terreiro de Nivaldo de Logun— Na estrada da CEASA, na localidade conhecida como Fazenda Caçange, em Salvador (ref. pelo Dr. Dari Paim Mota).

Ilê Afro-Brasileiro Odé Lorecy — Rua Monte Alegre, 126, Embu, São Paulo (ref. em reportagem da revista "Ciência Hoje", n° 57, 1989).

17 | MITOS

Segundo uma linha de mitos iorubanos, Orumilá um dia saiu do Egito, sua terra de origem, guiado por Exu e juntamente com outros discípulos. Essa peregrinação, que culminou na região do Níger, foi que deu origem aos reinos iorubás, fundados a partir de Odudua, o pai celestial da grande nação. O filho mais velho de Odudua foi Ocambi que teve sete filhos. O primeiro é o ancestral do povo de Olowu, o segundo do povo de Ketu, o terceiro foi rei dos Binis, o quarto reinou em Ilá, o quinto reinou em Sabé, o sexto em Popo, e o mais, novo, Oranian reinou em Ifé.

Desconte o leitor algumas imprecisões e anacronismos mas saboreie e assimile os ensinamentos dos mitos a seguir. Eles são, para nós, chaves importantes para a compreensão do mistério de Logunedé.

DE COMO OS SERES HUMANOS FORAM SEPARADOS EM HOMENS E MULHERES

No princípio da criação, os seres humanos eram andróginos, pois não tinham definição de sexo. Cada um levava, em um só corpo, os princípios masculino e feminino e tinham, de tempos em tempos, períodos de gestação espontâneos, reproduzindo-se a si mesmos e adotando um espírito a cada novo corpo criado. E sendo imortais, clarividentes e senhores de seu destino, estavam todos à altura dos deuses.

• LOGUNEDÉ •

Foi então que as Divindades Maiores — conjunto de deuses que controlam os poderes naturais no planeta, criados por Olofim e à sua direita — invejosas desse poder e influenciadas por entidades malévolas, levaram seu desacordo até Odudua, Ifá e Obatalá, os três benfeitores da Humanidade, e desencadearam as terríveis forças da natureza, fazendo perigar o equilíbrio do Planeta.

Então, Obatalá se viu obrigado a descer novamente à terra e fazer algumas correções na espécie humana. Assim, a partir de um determinado momento, começaram a nascer, daqueles seres andróginos mesmo, indivíduos com características sexuais definidamente diferentes.

Essa diferenciação transcendeu, desde logo, aos demais aspectos físicos e psíquicos dos seres humanos. Dessa forma, nasceram os primeiros homens, com estrutura física semelhante à atual, e as primeiras mulheres. Os atributos principais dos homens seriam o valor, a força, a agilidade e o desejo de conquista; e os da mulher, a maternidade, a passividade e a resistência ao sofrimento. Os andróginos ficaram como uma espécie diferente, isolada desta nova fase da criação e destinada a extinguir-se mais adiante.

Obatalá ordenou logo às Divindades Maiores que trabalhassem na separação dos animais superiores em dois sexos, tal como se havia feito com os humanos, para que a nova harmonia chegasse à outra parte do reino animal.

Porque, no princípio, o ser humano era dois em um só corpo, e as entidades malévolas moveram suas forças para separar tamanha criação, segundo consta no Livro Sagrado de Ifá. (Cf. De Olofin al Hombre - La Creacíon, cap. 12).

DE COMO ODI PASSOU A COMANDAR A PROCRIAÇÃO

Odi, discípulo de Ifá, desde pequeno se caracterizou por ser uma pessoa muito nervosa. E, já ao lado do mestre, manifestou-se como de caráter misterioso, pois viveu sempre só e afastado das aldeias.

Entretanto, durante as aulas, fazia, de vez em quando, brilhantes exposições, tanto que foi ele quem explicou a divisão dos andróginos em homem e mulher, momento em que a ela se outorgaram, como atributos, a menstruação e a maternidade, enquanto que ao homem foi dado o sêmen. Deste modo, Odi assinalou a forma em que o casal teve conhecimento dessas coisas, a partir da qual consumou sua união e conseguiu procriar, como recurso para perpetuar a espécie.

Devido a essas respostas, Orumilá lhe outorgou a primazia de comandar a formação do gênero humano. (Cf. De Olofin al Hombre — La leyenda de Orula, III- cap.9).

OXUM, INLÊ E BABALUAIÊ

Um dia indo em visita a Oyó, Oxum conheceu o príncipe Inlê, cuja delicadeza e finura a cativaram, tanto que ela acabou perdidamente apaixonada pelo jovem.

Casaram-se com uma grande festa na cidade, mas assim que iniciaram sua vida íntima, Oxum pôde compreender mais profundamente os pensamentos de seu esposo, que tencionava construir uma cidade destinada a abrigar os *adodís* e *alakuatás* (homossexuais masculinos e femininos) da nação.

A jovem, na realidade, não sentia desprezo por essas pessoas. E até achava simpático o comportamento que demonstravam em público, tendo, inclusive, muitos amigos entre eles. Mas,

• LOGUNEDÉ •

tempos depois, já erguida a cidade, nasceu Logun, uma criança hermafrodita, acontecimento que horrorizou Oxum e a levou a abandonar a cidade dos adodis, que governava junto com Inlê.

O jovem permaneceu ali e foi um dos primeiros a ajudar Orumilá, quando o Mestre chegou a essas terras, anos mais tarde. Enquanto isso, Oxum fez uma longa viagem até o castelo de Iemanjá, irmã de sua mãe, que a recebeu com carinho e a consolou.

Na ocasião, encontravam-se lá reunidos vários reis da nação iorubá, empenhados em achar uma forma de fazer Ogum, que estava voluntariamente recluso no mato, retomar o governo de Ilexá, que abandonara desde que fora vencido por Xangô, numa disputa por Oyá. Oxum se ofereceu para ir buscá-lo, o que, com seu encanto e palavras de encorajamento, conseguiu.

Retornando ao palácio de Iemanjá, depois da festa de boas vindas a Ogum, Oxum conheceu Obaluaiê, homem já de certa idade mas de aspecto majestoso e viril. E aí, seu coração, ainda um pouco dolorido pelo fracasso com Inlê, abriu-se novamente para a vida. Casaram-se e partiram para a terra dos Jejes, onde Obaluaiê era rei. E viveram felizes. (Cf. De Olofin al Hombre — La Leyenda de los Orichas, I - cap. 29)

ORUMILÁ ABENÇOA OS ADODIS

Em sua caminhada do Egito em direção à região do Níger, uma tarde, Orumilá e seus seguidores chegaram às portas de uma cidade murada, quando essas já quase se fechavam. Era a cidade criada por Inlê, para abrigar os adodis e alacuatás. Foram até o palácio do rei, onde mulheres-soldado, armadas de espadas e lanças, acendiam as tochas. Foram levados até o aposento onde estava Obatalá, muito doente, cercado de seus filhos. Orumilá pediu que todos saíssem e examinou Obatalá. Vendo que

• LOGUNEDÉ •

seu estado era muito ruim, reuniu todos os presentes numa oração, com cânticos para afastar Iku, a morte, que já estava rondando. Orumilá conseguiu salvar Obatalá e, assim, obtiveram as graças de Inlê, que era o rei daquela localidade. Orumilá permaneceu muitos dias no reino de Inlê, maravilhado com a organização. Todos os dias Inlê ouvia muito interessado as explanações de Orumilá sobre os lugares por onde passou. E perguntava muitas coisas sobre medicina, que era o seu interesse principal. Orumilá, então, ensinou parte dos segredos milenares que conhecia. No último dia de sua estada, realizou-se um grande banquete para os convidados e uma grande festa para a população. Foi quando Orumilá, agradecido pela hospitalidade, abençoou os adodis que tão bem dele cuidaram. (Cf. De Olofin al Hombre)

OUTROS MITOS

1

Um dia, Erinlê, sem dinheiro e endividado, saiu de casa para uma de suas caçadas, levando um amuleto que podia fazê-lo transformar-se em água, e não voltou. Seus filhos, preocupados, e depois de consultar Orumilá e fazerem as oferendas recomendadas, saíram para procurá-lo. Chegando a um determinado lugar, encontraram suas armas e instrumentos de caça. E no meio disso uma cabaça com água. Então, a água começou a escorrer, abundantemente. Os filhos fizeram-lhe oferendas, pedindo à água que levasse o pai de volta para casa. Mas a água, que era Erinlê transformado, começou a correr. Nesse mesmo momento, Oxum deixava a cidade de Ijumu e começava a correr, também. E eles se encontraram perto de Edé. Amaram-se, foram felizes e tiveram seu filho, Logunedé (cf. P. Verger).

• LOGUNEDÉ •

2

Logun era filho de Oxum Okê e Oxóssi. Os três viviam retirados, na montanha (oke). O casal vivia brigando e, um dia, resolveu viver separado, Oxóssi permanecendo na montanha e Oxum voltando para o seu hábitat, num rio encachoeirado. Logun ficou dividido, pois amava tanto o pai quanto a mãe. E como era um grande feiticeiro, preparou, para si mesmo, uma poção mágica que lhe daria, por seis meses, as características do pai e, por outros seis, os atributos da mãe. Certo dia, passando tempos com a mãe, resolveu dar um passeio. Saiu caminhando, caminhando, e andou tanto que chegou a Ifé, onde morava Ogum. Lá, como se encontrava na forma feminina, encantou o ferreiro, que se enamorou da bela jovem. Só que os seis meses se passaram e Logun esqueceu de tomar a poção que o faria retornar ao estado masculino. Oxum, preocupada com seu desaparecimento, saiu à sua procura e o encontrou vivendo com Ogum. Reprovando o fato, a mãe expulsou Logun de casa, o mesmo ocorrendo com Oxóssi, que, ciente do acontecido, não quis mais saber do filho. Sozinho e desamparado, Logun caminhou até Oyó, onde encontrou a deusa dos ventos e das tempestades, Oyá, que, imediatamente, o acolheu e proclamou príncipe. Sabendo da poção, Oyá quis ver-lhe o efeito, pedindo que Logun bebesse. Mas não adantou, pois o encantamento já havia perdido seu poder. Então, Logun assumiu, para sempre, os dois sexos, mostrando-se andrógino. Mas Iansã, que não tem preconceitos, aceitou-o, assim mesmo, como seu companheiro (Cf. Mônica Buonfiglio).

3

Oxum vivia na terra de Ijexá e tinha relações amorosas com um pescador chamado Erinlê de

Edé. Dessa união nasceu um filho a quem deram o nome de Ologun-Edé, o qual, ao nascer, recebeu de seu pai um encantamento que lhe permitia ser seis meses homem e seis meses mulher. Nunca ninguém soube desse segredo, pois, seus pais, para evitar esse transtorno, viajavam de um lugar para outro. Assim, os que o conheciam como mulher não o conheciam como homem e vice versa. Desta forma, Ologun-Edé foi crescendo e, já adulto, era conhecido em toda a terra iorubá, em cada lugar com uma de suas naturezas. Um dia, na sua forma masculina, Ologun-Edé procurou Ologbo Judu, babalaô e babalorixá na terra de Igana, para iniciar-se no culto de Ifá. O babalaô consultou o oráculo, para ver se poderia fazer a iniciação. O jogo sempre deixava dúvidas, até que Orumilá manifestou-se negativamente. Mas Ologbo Judu, por pura teimosia, resolveu iniciá-lo. Tudo ia bem até que, transcorridos seis meses, Ologun-Edé disse ao sacerdote que tinha de fazer uma viagem. E

• LOGUNEDÉ •

viajou, porque chegara o tempo de viver como mulher. Naqueles dias, então, apareceu no mercado de Igana um mulher de grande beleza, que deixou todos os homens fascinados. Quando Ologbo Judu a viu, apaixonou-se perdidamente, à primeira vista, e ela correspondeu. O babalaô levou-a para sua casa e, ao perguntar seu nome, ela disse chamar-se Omi Logbe. O casal, então, viveu muito feliz, até que, ao cabo de seis meses, ela disse que tinha que ir visitar uns parentes. Naquela noite, antevendo o sofrimento que viria com sua ausência, Ologbo Judu possuiu sua amada com muito ardor e o casal entregou-se, freneticamente, às delícias daquele amor, até que ambos adormeceram exaustos. Ao despertar, muito tarde, depois do meio-dia, o oluô surpreendeu-se ao ver dormindo ao seu lado não a bela Omi Logbe e, sim, seu filho-de-santo Ologun-Edé. Completamente transtornado, Ologbo correu até Ifá, saudou-o e jogou o opelê e lhe saiu o odu Odi Atauro, que o condenava à

• **LOGUNEDÉ** •

morte, por desobediência, vício e corrupção. Só quem poderia salvá-lo seria Faún, que conhecia o segredo de Odi Atauro mas morava escondido, no coração da floresta. E apenas Eleguá Abanukué sabia como chegar até ele. Recorrendo a Abanukué, Ologbo Judu conseguiu que ele o levasse até o coração da floresta. E partiram, levando as oferendas determinadas: um galo para Abanukué; dois pombos para Faún; acaçás etc. Quando chegaram à casa de Faún, este, inteirado do assunto, ensinou ao oluô a fazer uma espécie de mariuô para proteger-se contra Iku, a morte, e mandou que Ologun-Edé desse duas galinhas d'angola para Ibêji. Os preceitos foram cumpridos e a paz foi restabelecida. Só que, desde aí, Ologbo judu nunca mais pôde exercer seu ofício de babalaô e nenhum homem de condição sexual ambígua pôde iniciar-se no culto de Ifá (De um conto tradicional cubano).

4

Depois do primeiro encantamento de Logunedé, quando Inlê, seu pai, o procurava, ele já se encontrava em outro grupo, passando lá seis meses, e justamente no período em que o pai mais precisava de sua ajuda.

Quando retornava à casa paterna, o fazia na forma feminina, o que não lhe dava condição de trabalhar com o pai nas árduas tarefas de caça, plantio e colheita.

Além de viver como mulher, Logunedé estava sempre cansado, e isto deixava tão desgostoso o pai que este, por fim, o abandonou, mandando-o para junto da mãe, Oxum, de quem Inlê já estava separado (Versão da lenda anterior, corrente na Casa de Fanti-Axanti, no Maranhão).

5

Entre os Iorubás, no ciclo de relatos míticos que tem como protagonista o herói Ahun, a tartaruga, B. Rachewiltz destaca o seguinte, que trata da união entre os dois sexos:

Há muito tempo, as mulheres viviam todas juntas num mesmo país e não sabiam da existência dos homens. E os homens viviam sozinhos em um outro país e não conheciam mulheres. Okô, o pênis, já estava ficando, pois, morto de fome. Por isso, andava por todo o país, procurando alguma coisa para comer e não encontrava nada.

Um belo dia, Ahun chegou à terra dos homens e foi logo perguntando:

— *Onde estão as mulheres! Vocês não têm mulheres! Então o que é que o Okô de vocês come!*

— *Nosso Okô está com fome mas não encontra nada para comer. Mas o que é isso de "mulheres"?* — respondeu e perguntou um habitante do país, no que Ahum, prontamente, fez uma proposta:

— *Se vocês me derem quatrocentos mil búzios e duzentas cabras, eu trago a comida para o Okô de vocês.*

Como os homens concordaram, Ahun pegou o caminho do país das mulheres, recomendando aos homens que o seguissem, mas só até a floresta, onde ficariam escondidos.

Chegando ao país das mulheres, o herói foi à casa da Ialodê, a mulher mais importante da comunidade. E a Ialodê, muito satisfeita com a presença dele, pediu que ele tocasse o tambor, pois as mulheres há muito tempo não o ouviam e queriam dançar. Mas Ahun disse que antes de tocar, tinha que comer, no que foi atendido pela Ialodê, que mandou lhe servir um requintado banquete.

Alimentado o visitante, a Grande Dama lhe pediu que começasse a tocar, ao que Ahun retrucou:

— *Primeiro, a senhora tem que me prometer uma coisa: que vai me dar duzentos mil búzios...*

A Ialodê concordou, mas Ahum fez outra exigência:

— *Só que eu não posso tocar o tambor sempre no mesmo lugar. Quando toco, eu tenho que estar sempre andando. E o tambor não pode ser tocado na cidade: tem que ser tocado em um lugar afastado, na floresta. E vocês têm que ir comigo até a floresta e dançar lá.*

A Grande Senhora novamente concordou.

Na manhã seguinte, Ahun apresentou-se às portas da cidade e todas as mulheres se aproximaram. Quando ele começou a tocar, todas elas começaram a dançar. E enquanto tocava, ele cantava uma cantiga que dizia mais ou menos assim: *"Aqui tem obó* (vulva) *Lá tem okô* (pênis). *Okô quer comer obó. Obó quer okô grosso. Pra ficar feliz".*

Cantando e dançando, o cortejo seguiu, as mulheres na frente, Ahun atrás, tocando o tambor. Quando chegaram ao bosque, já era noite. E ali, então, o grupo arranchou-se para descansar.

Na manhã seguinte, Ahun começou, de novo, a fazer soar o tambor. As mulheres acordaram, levantaram e começaram, outra vez, a dançar. E a cantiga, agora, dizia mais ou menos o seguinte: *"Hoje Okô vai comer Obó. Okô vai dançar, Obó vai dançar. Ahun é bom de tambor. Depois vai nascer neném. E Obó e Okô nunca mais vão se separar".*

O cortejo seguia viagem, Ahun tocando e cantando, as mulheres dançando na frente. Mas, desde o bosque, os homens já tinham visto as mulheres. Okô ficou em estado de alerta, em grande excitação. Mas dançava também, com os homens, escondidos atrás das moitas.

Quando chegaram às portas do país de Okô, os homens se aproximaram, para a dança do *idikire* (nádegas) e, então, homens e mulheres, pela primeira vez, dançaram juntos. As mulheres, prontamente, notaram a diferença entre elas e eles mas os homens não notaram nada.

Então, a Ialodê, sem que ninguém notasse, tomou o sexo de um homem em uma das mãos, viu que era bom e foi dormir com o homem no bosque, aconselhando às suas lideradas a fazerem o mesmo.

Desde esse dia, as mulheres nunca mais quiseram viver sem homem. E estabeleceu-se o costume de homem e mulher dormirem juntos e fazerem filhos (Cf. Bóris de Rachewiltz, "Eros Negro. Costumbres sexuales en Africa desde la prehistoria hasta nuestros dias". Barcelona, Sagitario, 1963, pags. 81-82).

18 | O FILHO DE LOGUNEDÉ

Uma expressão bastante usada entre o povo-do-santo é "pai carnal", significando o pai biológico em oposição ao pai-de-santo ou, mesmo, ao orixá. Neste sentido é que Juana Elbein, no seu indispensável "Os Nago e a morte", distingue os genitores humanos, pais e antepassados, dos genitores divinos, os orixás, nossos "criadores simbólicos e espirituais".

Em sua origem africana, essa relação de filiação abrangia toda a família biológica. Um orixá era sempre o patriarca espiritual e simbólico de toda uma linhagem, cultuado paralelamente ao grande antepassado falecido. Na Diáspora, entretanto, o orixá passou a ser, mais, uma força individualizada, moldando o jeito de ser e estar de cada um.

As características de personalidade de um indivíduo decorrem de fatores biológicos e psicossociais. E, nessa constituição de caráter, é evidente que fatores como meio ambiente e educação exercem influência decisiva.

Apesar disso, e com base em nossa experiência pessoal, podemos dizer que, assim como existe uma caracterização do indivíduo do ponto de vista astrológico, também existe outra que se prende à filiação mítica, ao pertencimento a este ou outro orixá, mas derivado do odu pessoal de cada um.

Primeiramente, veja-se que o arquétipo de Oxum é o da mulher graciosa e elegante; vaidosa e sedutora, mas reservada e de vontade muito forte: "Oxum tem o humor caprichoso e mutável: alguns dias suas águas correm aprazíveis e calmas;

outras vezes suas águas, tumultuadas, passam estrondando, transbordando e inundando campos e florestas" — escreveu Pierre Verger.

E veja-se que o arquétipo do odé, como Inlê, é o do caçador-provedor, alerta e em movimento, sempre em vias de novas descobertas mas com o exato sentido de responsabilidade para consigo e sua família. E sensato, discreto, observador, estudioso e calmo, seu relativo distanciamento costumando ser visto como frieza.

Desta forma, um filho de Logunedé pode ou não, assim se individualizar:

Gracioso, educado e desembaraçado, conduz-se com elegância e refinamento. Reservado, preza muito a serenidade e a paz, vivida em ambientes harmoniosos e artísticos. Embora se diga indiferente à opinião alheia, não resiste à menor crítica, sentindo-se magoado e infeliz quando alvo de alguma observação menos lisonjeira.

Evita o contato com o sofrimento humano, procurando apenas as belas emoções e sendo, por isso, às vezes visto como individualista e pouco solidário. Ouve e aconselha, ajuda e colabora mas "tira o corpo fora" quando é exigido demais. Não gosta de ser cobrado ou pressionado. Gosta de se autopreservar.

Tem facilidade em aprender e falar idiomas e é, em geral, admirado por sua suavidade, inteligência e sensibilidade. *Bon vivant*, gosta de festas e comemorações. Imaginativo, destaca-se nas artes, como música, teatro e dança.

Cabe, aqui, o relato de um acontecimento pessoal.

No final dos anos 70, assistindo a um espetáculo musical, sentimo-nos estranhamente atraídos pelo som que saía das congas ou tumbadoras de um dos músicos da pequena orquestra. A atração era realmente estranha porque, vivendo no ambiente musical, não seria qualquer som corriqueiro que poderia motivar aquele fascínio.

Terminado o espetáculo, nos cumprimentos, aproximamo-nos do percussionista e entabolamos

• LOGUNEDÉ •

*Guerreiros iorubanos (séc. XIX) - o traje,
com o saiote e a calça, é basicamente o mesmo
das indumentárias dos orixás jeje-nagôs no Brasil,
hoje, entretanto, extremamente estilizados.*

uma conversa que se estendeu, num grupo de músicos, até o bar próximo ao teatro. No bar, contou-me ele ser residente em Paris — para onde fora, desligado da Marinha de Guerra, depois dos acontecimentos de abril de 1964 — lá vivendo como músico de estúdio e de aulas de dança, com sua mulher. Contou-nos também ser filho de Logunedé e criado em um dos mais tradicionais terreiros baianos, onde sua mãe carnal ocupava um cargo de alta hierarquia.

Já identificados e amigos, tempos depois ele nos enviava de Paris uma carta. E, nela, dizia que nosso encontro de irmãos já tinha sido "visto" por sua mãe carnal, numa consulta aos búzios. E que, dali em diante, seríamos grandes amigos e colaboradores, como de fato nos tornamos.

Navegante, músico e "feiticeiro", estava ali um Logunedé perfeito e acabado, conquistando nossa amizade "sem querer".

Porque o filho de Logun, embora faça amigos com facilidade, não se envolve profundamente com os muitos amigos que costuma ter. Ambicioso, dá muito valor ao conforto material.

Tem paixão pelo debate, e às vezes fala e discute sem parar, principalmente sobre as coisas que lhe agradam ou que está realizando. Mas, de vez em quando, precisa isolar-se, interiorizar-se. Nessas fases, seu interesse pelo ocultismo e pela religião se sobrepõe.

Otimista, o filho-de-Logun persegue seus objetivos com precisão e procura gastar sua energia em coisas de que gosta. Mas, como um camaleão, costuma mudar de personalidade e de atitudes como quem muda de roupa.

Quando tem oportunidade de realizar-se, o *omó*-Logun pode tornar-se proeminente e famoso, principalmente na vida artística. Quanto à sexualidade, preferimos deixar a palavra com Monique Augras:

"Alguns dizem — escreve a antropóloga — que Logunedé muda de sexo: é homem quando vive no mato, mulher quando mora no rio. Nem todo mundo concorda com essa versão. Logunedé sabe ser rude e doce ao mesmo tempo, mas é homem".

19 | Conclusão

Logunedé é o orixá filho por excelência. E, assim, carrega dentro de si, de maneira irrefutável e irretocável, e absolutamente definidas, as naturezas da mãe, Oxum Pandá, e do pai, Inlê.

Mas apesar de se definir através desses dois princípios genitores, feminino e masculino, Logunedé não deixa de ter a sua própria individualidade. Por isso é um orixá metametá, ou seja, aquele que é três sendo um; e, sendo três, pode exercer várias atividades — caçador, pescador, curandeiro, dançarino, cantor — e revestir a forma que quiser — homem, peixe... e até mesmo mulher, pois é dono e senhor do feitiço e de seu próprio segredo.

Entretanto, não é um orixá andrógino, como se costuma dizer. Porque os signos do oráculo de Ifá, como vimos, consideram a ambigüidade ou a ambivalência sexual como um acidente, logo reparado, na tarefa da Criação.

Essa suposta ambivalência é, na verdade, resultado de má compreensão do que escritores como Elisabeth Haich entendem como bipolaridade sexual. Os dois pólos da energia sexual — segundo o pensamento dessa cientista, a nós revelado, em conversa pessoal, por nossa sobrinha Amir Lopes, bacharel em Filosofia — jamais deixam de existir como unidade: eles se pertencem por toda a eternidade, atraem-se recíproca e ininterruptamente, jamais podendo se separar. E é dessa unidade, que subsiste entre os dois pólos como uma tensão de poder infinito,

• **LOGUNEDÉ** •

que se origina toda a criação. Porque todo ser vivo contém em si esses dois pólos, como razão inalienável da existência.

Logunedé é, isto sim, metametá. E felizes daqueles indivíduos que podem ser três sendo um só; e que podem fazer conviver dentro de si tantas possibilidades e colocá-las a seu favor.

Esse, então é o mistério de Logunedé: ser um e ser múltiplo. Para, assim, cumprir o caminho que Ifá lhe apontou. E assim será.

Glossário

◆ Abebé

Leque metálico de Oxum (em latão) e Iemanjá (metal prateado) - Do ior. *abebe*.

◆ Abiã

Pessoa em estágio de pré-iniciação no culto dos orixás. – O termo parece estar relacionado com o ior. *abiyamo*, mãe com filho no colo; mas em ibibio (efik), língua africana da região do Calabar, o vocábulo abia significa "adepto".

◆ Adarrum

Toque rápido dos atabaques e "outros instrumentos rituais com a finalidade de apressar a chegada dos orixás. É ritmo que acompanha algumas cantigas de Logunedé.

◆ Adô (Aduni)

Iguaria doce, da preferência de Oxum. Prepara-se torrando os grãos de milho, moendo-os e adicionando-se ao resultado mel de abelha. Outrora, segundo Manuel Querino, os negros baianos torravam o milho, ralavam-no na pedra, passavam na peneira e o adoçavam, também com açúcar. Do ior. *àádùn*; *àdò* é um dos nomes do mel.

♦ Afoxé

Cordão carnavalesco de adeptos da tradição dos orixás que sai às ruas entoando, principalmente, cânticos de Oxum e Logunedé.

♦ Agüê

Vodum da caça e da mata nos terreiros jejes do Brasil.

♦ Aguerê

Um dos ritmos tocados pelos atabaques nos rituais da tradição dos orixás. É consagrado a Oxóssi, nos candomblés de nação queto. – Do iorubá *àgèrè*, tambor de caçador.

♦ Alabedé

Uma das qualidades de Ogum. Por extensão, objeto-símbolo constante de um caldeirão de ferro no qual se soldaram ferramentas de trabalho e outras peças desse metal. Do iorubá *alágbède*, ferreiro.

◆ Amparo

O mesmo que bilala. Chicote de três tiras de couro usado por Inié e Logunedé. Do ior. *aparun*, chibata.

◆ Atim

Conjunto de folhas e ervas sagradas de cada orixá; por extensão, a raspa ou pó extraídos delas e usados como proteção ou defesa contra malefícios. – Do fongbé (jeje) *atin*, árvore, madeira.

◆ Axé

Termo que, em sua acepção filosófica, significa a força que permite a realização da Vida; que assegura a existência dinâmica; que possibilita os acontecimentos e as transformações. Entre os iorubás, é usado em contraposição a *agbara*, poder físico, subordinação de um indivíduo a outro, por meios legítimos ou ilegítimos. – Do ior. *àse*, lei, comando, ordem, *i.e.*, o poder enquanto capacidade de realizar algo ou de agir sobre uma coisa ou pessoa, o que é diferente de força física (*agbara*).

◆ LOGUNEDÉ ◆

◆Axoxó

Alimento votivo de Logunedé e Oxóssi, preparado com milho e coco. O milho é simplesmente cozido, sem temperos, e oferecido apenas com coco ralado (para Logunedé) ou em lascas (para Oxóssi). Do ior., provavelmente de asoso, bonito, elegante.

◆Aziri

Manifestação ou qualidade de Iemanjá ou Oxum em alguns candomblés de origem jeje.

◆Batá

Família de tambores iorubás, em forma de ampulheta e de pele dupla, usado a tiracolo e percutido ao mesmo tempo dos dois lados, próprio dos cultos afro-cubanos e também de Trinidad. Na Bahia, era empregado nas cerimônias externas, como as do presente das águas e seu nome hoje designa, também, um dos toques da nação Ijexá. Na África, o nome (bàtá) designa um tambor usado nos cultos de Xangô e de Egungun.

◆ **Bilalá**

Chicote de Ibualama, feito de tiras de couro trançadas. - Do ior. *bílalà*.

◆ **Capanga**

Bolsa usada a tiracolo em geral pelos caçadores e compradores de diamantes do interior brasileiro. — Do quimbundo *kapanga*, axila, porque, originalmente, a bolsa, de alça curta, ficava embaixo do braço.

◆ **Casa Branca Do Engenho Velho**
(Axé Ilê Iyá Nassô Oká)

Terreiro fundado, na primeira metade do Séc. XIX, na Barroquinha, em Salvador, Bahia, por um grupo de africanos livres, dentre os quais Iyá (mãe) Nassô, filha de uma ex-escrava retornada à África. Depois transferido para a localidade de Engenho Velho, onde passou a ser conhecido como "candomblé da Casa Branca" ou simplesmente "Engenho Velho"; dele se originaram, ainda no século XIX, o candomblé do Gantois e, mais tarde, o Ilê Axé Opô Afonjá. É unanimemente referido como o primeiro terreiro de candomblé fundado no Brasil. Em 1987, foi tombado como bem do patrimônio histórico nacional, sendo o primeiro templo afro-brasileiro a merecer tal distinção. Recentemente, uma de suas ialorixás mais destacadas foi Altamira dos Santos, a Mãe Tatá.

◆ Damatá

Insígnia dos odés, o mesmo que ofá, constante de uma miniatura em ferro ou outro metal, de um conjunto de arco e flecha unidos. O de Logunedé é de metal amarelo. Do ior. *ode meta*, três caçadores em uma só pessoa (de um oriqui)

◆ Diáspora

Palavra grega que significa "dispersão". Serve hoje para designar, também, a desagregação que, compulsoriamente, por força do tráfico de escravos, espalhou negros africanos por todos os continentes, sendo usada, igualmente, para designar, por extensão de sentido, os descendentes de africanos nas Américas e na Europa e o rico patrimônio cultural por eles construído.

- Ebâme

Filha-de-santo que tem sete anos ou mais de iniciação. Do ior. *ègbón mi*, meu mais velho.

- Egó

Ritmo de algumas cantigas de Logunedé. Do ior. *ego*, um tipo de dança.

- Ialodê

Antigo título honorífico feminino da tradição dos orixás. – Do iorubá *iyálode*, primeira dama de uma vila ou cidade, senhora de alta hierarquia; dama que preside a sociedade das *Ìyá óòde*, existente em todas as cidades do país Ègbá.

- Iaô

No candomblé, título adquirido pela inicianda após o sundidé (aposição do sangue dos sacrifícios nos pontos vitais do corpo), quando ultrapassa a condição de abiã. Do ior. *iyàwó*, esposa mais jovem, recém-casada.

- Ibualama

Qualidade de Oxóssi, também chamado Inlê, pai de Logunedé. – Do ior. *ibùálámo*, nome de um dos lugares profundos (*ibù*) do rio Erinlè, em Ijexá.

♦ Idés

Conjunto de pulseiras de latão, insígnia de Oxum. Do ior. *ide*.

♦ Ieiê Pandá

Oxum guerreira, mãe de Logunedé. Do ior. *Iéyé ipondá* (Ipondá é o nome de uma cidade: "a mãe graciosa[*yéyé*] da cidade de Ipondá").

♦ Ijebu

Indivíduo dos Ijebus, subdivisão do povo Iorubá. Do ior. *ijèbu*, povo descendente de Oba-níta.

♦ Ijexá

Uma das "nações" da tradição brasileira dos orixás. Por extensão, ritmo das danças de Oxum e Logunedé, orixás ijexás, e dos cortejos dos afoxés e do presente das águas. O vocábulo origina-se no etnônimo Ijèsà, subdivisão da etnia Iorubá, que tem por capital a cidade nigeriana de Ilésà (*ilé* + *oosà*, terra dos orixás) e cujo ancestral é Óbokún.

♦ Ilê

Elemento que, significando "casa", antecede denominações de várias comunidades-terreiro dedicadas ao culto dos orixás, bem como, genericamente, diversos compartimentos das casas de culto. Do ior, Hé, casa, lar.

♦ Ilê Axé Opô Afonjá

Comunidade-terreiro de Salvador, Bahia, fundada em 1919 por Mãe Aninha e registrada sob a denominação civil de Sociedade Cruz Santa do Axé do Opô Afonjá. Localizado em São Gonçalo do Retiro, é um dos quatro terreiros mais tradicionais da Bahia.

♦ Ile - Ife

Cidade do sudoeste da Nigéria, no estado de Oshun, berço da civilização iorubá. É o núcleo de onde emana, inclusive para as Américas e o Brasil, o poder espiritual do *oni*, seu governante.

♦ Ilu

Denominação do tambor de dois couros, usado nos candomblés de nação ijexá, e tocado sobre cavaletes na Casa de fanti-Axanti. Do ior. *ilù*, tambor.

◆ Inlê

Qualidade de odé, o mesmo que Ibualama. – Do ior. Erinlè, orixá-caçador, nume tutelar do rio de mesmo nome.

◆ Ipeté

Iguaria à base de inhame, alimento votivo de Oxum. Do ior. *ìpete*.

◆ Iruquerê

Um dos símbolos da realeza de Oxóssi, enquanto rei mítico de Ketu. É uma espécie de espanta-moscas, feito de tufos de rabo de boi com um cabo de madeira ou metal. Do ior. *irúkèrè*, insígnia de poder dos reis e sacerdotes.

◆ Lucumí

Gentilíco com que em Cuba se designam os negros iorubás ou nagôs. Miguel Barnet diz que é denominação arbitrária que se dá também a negros de outras etnias provenientes principalmente do Golfo da Guiné. Provavelmente, do ior. *oluku mi*, meu amigo.

◆ LOGUNEDÉ ◆

◆ Mariwô

Franja de folhas tenras de dendezeiro desfiadas que se coloca na parte superior das portas e janelas para afastar os eguns. Em forte de saiote, é uma das vestimentas rituais de Ogum. Do ior. *màriwó*, folhas tenras do cimo da palmeira.

◆ Mulucum

Var de OMOLOCUM.

◆ Najé

Tipo de cerâmica nordestina ligada a rituais de determinados orixás. O otá de Logunedé fica num prato najé.

◆ Obi

Denominação iorubana da coleeira, planta da família das Esterculiáceas, produtora do fruto de mesmo nome (noz de cola), largamente usado na tradição religiosa afro-brasileira, tanto como objeto de oferenda como em processos divinatórios, no chamado "jogo do obi". No Brasil, conhecem-se duas espécies: o obi-abatá, também chamado obi de quatro bandas, e o obi-banjá, obi de duas. Ao ato de confirmação de um iniciado, através da colocação de um obi partido sobre sua cabeça, chama-se "plantar o obi".

◆ Odá

Bode castrado, animal preferencial nos sacrifícios a Logunedé.

◆ Odé

Nome pelo qual o orixá Oxóssi é invocado e cultuado principalmente nos xangós pernambucanos. Da mesma forma, nome genérico pelo qual são referidos todos os orixás caçadores, como Logunedé. – Do ior. *ode*, caçador.

◆ Odé Matá

Em Cuba, um dos nomes de Oxóssi. No Brasil, variante de damatá.

◆ Odé-Omi

No Rio Grande do Sul, manifestação jovem de Oxóssi, ligada a uma forma também moça de Oxum. De Odé, certamente relacionado ao iorubá *omi*, água, que é o elemento de Oxum.

Odu

Resultado de uma jogada feita no jogo da adivinhação, através do opelê, e que encerra uma resposta ou indicação dada pelo oráculo Ifá. – Segundo a tradição iorubá, existem 256 odus ou signos de Ifá, sendo que cada pessoa tem seu destino ligado a um deles. Mas o odu que se manifesta através da posição em que cai o opelê não é necessariamente o do trajetória pessoal do indivíduo e, sim, o da circunstância por ele atravessada naquele momento, odu, esse expresso na combinação de outros odus, e que vai servir de indicação ou resposta para a sua consulta. Assim, a tradição iorubá reconhece a existência de 16 odus principais, cujas combinações perfazem 256 signos diferentes. – A adivinhação pelo jogo de búzios corresponde a um sistema derivado do jogo do opelê, no qual quem responde é Exu e não Ifá. Mas o tempo foi trazendo para ele a concepção dos odus. Um outro processo, simplificado, de adivinhação usado na tradição jeje-nagô é aquele feito através do obi partido, no qual quem responde é o próprio Orixá.

◆ Odudua

Grande orixá nagô, ora masculino ora feminino, um dos princípios da Criação. Herói fundador do povo Iorubá, foi enviado por Olodumarê, o Deus Supremo, para completar, em Ifé, de onde foi o primeiro governante, a obra de criação do mundo. É cultuado em Cuba e não mais no Brasil. Do ior. *Odùdúwá*.

◆ Ofá

Insígnia dos orixás caçadores Oxóssi, Odé, Inlê, Ibualama e Logunedé, representada por arco e flecha unidos, confeccionada em metal. Do ior. *ofà*, flecha.

◆ Ogã

Título da hierarquia masculina dos candomblés, conferido a pessoas de *status* social ou financeiro elevado ou a outras que sejam prestadoras de relevantes serviços à comunidade-terreiro ou mesmo a especialistas rituais, como músicos, sacrificadores de animais etc. Escolhido pelo chefe do candomblé ou por um orixá incorporado, o ogã é "suspenso" ou "levantado" (alusão à forma pela qual se manifesta a escolha, com o eleito sendo literalmente erguido no ar. Depois de "suspenso", o novo ogã submete-se a alguns ritos de iniciação para, então, ser "confirmado" e assumir, ao lado de seus pares, a condição de conselheiro e protetor do terreiro e da comunidade. Os ogãs "especialistas" recebem várias denominações, como axogum, alabê etc. O vocábulo tem origem etimológica no fongbé (jeje) *hougan*, superior.

◆ Olofim, Olodumarê, Olorum

Olofim, Olodumarê e Olorum constituem uma espécie de Santíssima Trindade. Diferentes manifestações do mesmo Deus Supremo, Olofim é o aspecto criador por excelência, causa e razão de todas as coisas, a personificação da Divindade, aquele que se relaciona diretamente com os orixás e os homens. Já Olodumarê é o universo com todos os seus elementos, a manifestação material e espiritual de tudo quanto existe na Natureza. Olorum, finalmente, é o Ser Supremo enquanto força vital e energia impulsionadora do Universo, manifestada através do Sol que aquece e ilumina.

◆ Oluô

Adivinho, babalaô, jogador de búzios; sacerdote de Ifá. Entre os iorubás, é título designativo do chefe dos babalaôs de uma determinada área ou região.

◆ Omi - eró

Mistura de água e folhas maceradas ritualisticamente, usada em banhos purificatórios. Do iorubá omi, água + èró, calma, tranqüilidade.

◆ Omolocum

Comida ritual de Oxum, feita com feijão fradinho e ovos cozidos.

◆ Onjé

Aportuguesamento do ior. *onje*, comida.

◆ Opelê

Instrumento principal do jogo de Ifá, consistindo em uma corrente metálica ao longo da qual foram presas, espaçadamente, oito metades de nozes de dendê (ou caroços de frutas ou, ainda, pedaços de casco de tartaruga). Visto em forma de "u", quando jogado, mostra, de cada lado, encadeados, quatro elementos, a partir de cuja posição se lêem os odus. Do ior. *okpele*.

◆ Ori

Na tradição dos orixás, denominação da cabeça humana, enquanto sede do conhecimento e do espírito. Do ior. *ori*.

◆ Oriqui

Espécie de salmo da tradição iorubá, declamado ao ritmo de um tambor, que exalta proezas, insucessos, particularidades, preferências etc. de um orixá ou um personagem ilustre. Do ior. *oriki*.

◆ Orixá

Designação de cada uma das divindades iorubás, exceto Olorum, intermediárias entre Este e os seres humanos. No Rio de Janeiro antigo, o termo designava o seguidor do culto dos orixás, em oposição aos alufás, seguidores do culto malê. Considerados forças da natureza e algumas vezes representando ancestrais divinizados, os orixás manifestam-se através do que o povo-de-santo denomina "qualidades". Assim, Oxum Pandá e Oxum Abalô são "qualidades" do orixá Oxum, essas especificações indicando uma passagem da mitologia do orixá em que determinada característica se revelou ou fazendo referência a um local onde ele teria vivido ou por onde tivesse passado. Do ior. *orisa*.

◆ Orumilá

Órúmila, Éla ou Aguomiregun, é o orixá da adivinhação, intimamente ligado a Exu. Segundo Bascom, para os iorubás ele é o dono da escrita, porque "escreve" pelos outros orixás e ensinou aos babalaôs "escreverem" os textos nas suas bandejas de adivinhação. É tido como um erudito, um sábio, por causa de todo o conhecimento e de toda a sabedoria dos odus, que são os textos de Ifá (na Africa, ifa é a técnica da adivinhação e não o nome do orixá como ficou em Cuba e no Brasil) e também como um intérprete entre as divindades e os seres humanos. Então, quando qualquer orixá deseja um sacrifício, um alimento especial, é através de Orumilá que ele manda sua mensagem aos humanos. E, é também esse orixá quem transmite e interpreta para a humanidade os desejos de Olórum, e é quem prescreve os sacrifícios que Exu leva até a morada das divindades.

♦ Ossé

Oferenda periódica de alimentos ao orixá no dia da semana que lhe é consagrado. Por extensão, limpeza ritual periódica dos assentamentos do orixá. Do ior. *ose*, dia da semana; ou de ose, sabão.

♦ Otá

Pedra onde se assenta a força mística, o axé do orixá. Do ior. *ota*.

♦ Otim

Uma das qualidades ou manifestações de Oxóssi.

◆ Oxóssi

Orixá caçador iorubano. No Haiti, seu correspondente seria Sobo, divindade de características militares. Em Trinidad-Tobago seria Ajajá ou Ayakbea.

◆ O x u

Espécie de pequeno cone, feito de cera e ervas maceradas, que é colocado sobre a incisão feita no alto da cabeça da iaô. Do ior. *osu*.

◆ Oxum

Orixá nagô, princípio genitor feminino de Logunedé.

◆ Polvari

Corruptela de "polvorinho", recipiente onde se guarda pólvora ou se a leva para a caça.

◆ Santero

Denominação dada, em Cuba, ao praticante de religião africana, notadamente o culto aos orixás iorubanos. Aos praticantes dos cultos bantos chama-se *mayombero* ou *palero*.

♦ Vodum

Forma portuguesa para vôdoun, nome que designa cada uma das divindades (ancestrais míticos ou históricos) do povo Fon, do antigo Daomé. Segundo Basile Kossou, o vodum é a representação objetiva de um atributo do Ser Supremo. Por extensão, é uma divindade.

♦ Xequeré

Instrumento musical da tradição nagô brasileira e lucumí cubana. É um chocalho feito com uma cabaça coberta com uma rede frouxa de fios de algodão enfiados com búzios. – Do ior. *sekèrè*.

♦ Xinxim de galinha

Espécie de guisado, da preferência de Oxum. Para preparar a iguaria, mata-se, depena-se e lava-se bem a galinha; e depois de retiradas as vísceras, corta-se em pequenos pedaços ou desfia-se a carne. Põe-se na vasilha para cozinhar com cebola. Logo que a galinha estiver cozida, adicionam-se camarões secos e azeite-de-dendê.

BIBLIOGRAFIA

ABRAHAM, R.C. *Dictionary of modern Yoruba*. London: Hodder & Stoughton, 1981.

ALTUNA, Pe. Raul Ruiz de Asúa. *Cultura tradicional banto*. Luanda: secretariado Arquidiocesano da Pastoral, 1993.

ARÓSTEGUI, Natalia Bolivar. *Los orishas en Cuba*. La Habana: Edic. Union, 1990.

–– & POTTS, Valentina Porras. *Orisha ayé; unidad mítica del Caribe al Brasil*. Guadalajara (Espana): Edic. Pontón, 1996.

AUGRAS, Monique. *O duplo e a metamorfose.* Petrópolis: Vozes, 1983.

BARNET, Miguel. *Cultos afrocubanos: La régla de ocha; la régla de palo monte.* La Habana: Edic. Union, 1995.

BARROS, José Fávio Pessoa de. *O segredo das folhas: sistema de classificação de vegetais no candomblé jeje-nagô do Brasil.* Rio de Janeiro: Pallas/UERJ, 1993.

BASTIDE, Roger. *O Candomblé da Bahia.* São Paulo: Brasiliense, 1978.

BUONFIGLIO, Monica. Orixás. São Paulo, 1995.

CABRERA, Lydia. *El Monte.* La Habana: Ed. Letras Cubanas, 1993.

CACCIATORE, Olga Gudolle. *Dicionário de cultos afro-brasileiros.* 3a. ed. rev. Rio de Janeiro: Forense-Universitária, 1988.

DE LA TORRE, Inès. Le Vodu en Afrique de l'Óuest; *rites et traditions.* Paris: L'Harmattan, 1991.

DE OLOFIN AL HOMBRE. Texto cubano apócrifo, em 3 partes , provavelmente de autoria de Amadeo

Pineiro Nápoles e Félix R. Espinosa, s/d (impresso em computador).

DEPESTRE, René. Um arco e suas flechas. Correio da Unesco, fev. 1982.

ELBEIN DOS SANTOS, Juana. *Os Nàgó e a morte*. Petrópolis: Vozes, 1976.

FERRETI, Sérgio F. *Querebentan de Zomadonu*. São Luis: UFMA, 1986.

FROBENIUS, Leo. *Mythologie de l'Atlantide* (trad, francesa de Atlantis, por F. Gidon). Paris: Payot, 1949.

KAYODE, Michael & OLUYEMI, Michael. *Cânticos de orixás em yorubá*. Rio de Janeiro: Prince Ed., 1990.

LODY, Raul. *O povo do santo*. Rio de Janeiro, Pallas, 1995.

LODY, Raul & SA, Leonardo. *O atabaque no candomblé baiano*. Rio de janeiro: Funarte/INF/INM, 1989.

LOPES, Nei. *Enciclopédia brasileira da diáspora africana* (em finalização)

OLIVEIRA, Altair B. Cantando para os orixás, 2a ed. Rio dejaneiro: Pallas, 1997.

PORTUGAL, Fernandes. *Curso de cultura religiosa afro-brasileira*. Rio de Janeiro: Freitas Bastos, 1988.

SALAMI, Siriku. *A mitologia dos orixás africanos*, vol. I. São Paulo: Oduduwa, 1990.

THOMPSON, R. F. *Flash of the spirit*. Toronto: Random House, 1984.

VERGER, Pierre Fatumbi. Orixás. São Paulo: Círculo do Livro/Salvador: Corrupio, 1981.

Este livro foi impresso em outubro de 2023,
na Gráfica Santa Marta em São Paulo.
O papel de miolo é o offset 75g/m2
e o de capa é o cartão 250g/m2.
A fonte usada no miolo é a Gill Sans 10/17.